Pour mon fils Maxime,
ce merveilleux adolescent qui ensoleille
mes journées.

CHAPITRE I

*M*axime! Tu es encore dans la lune, mon grand!

Madame Julie a raison : Maxime, une fois de plus, est perdu dans ses pensées durant les explications de géographie. Maxime profite souvent des ennuyeuses explications sur les continents ou les différentes catégories de sols pour s'évader dans son monde imaginaire. Malgré l'importance de la géographie pour son développement personnel, il se demande plutôt pourquoi cette mystérieuse boîte carrée verte se trouvait sur un des rayons de la bibliothèque de l'école, ce midi, derrière la série de livres sur Jésus et sur la religion. Cela occupe toutes ses pensées.

Responsable de la bibliothèque de l'école pour la troisième étape de l'année, Maxime doit, tous les vendredis, ranger les volumes laissés sur la petite table en bois brun clair. C'est une tâche plutôt ennuyeuse, mais il ne se plaint pas. Toutefois, Maxime trouve inconcevable de se retrouver devant un tel désordre.

Chaque semaine, il doit replacer près d'une centaine de volumes. Comment peut-on être aussi indiscipliné et laisser tout traîner de la sorte?

— Je n'aimerais pas voir leur chambre! murmure-t-il souvent.

Maxime déteste aussi ranger ses choses et faire le ménage de sa chambre, mais ses parents lui laissent peu de chance de se laisser aller. Si, par malheur, il oublie de mettre ses bas sales dans la malle à linge, il se tape alors un sermon interminable. Il préfère de beaucoup transporter une paire de bas à forte odeur de fromage suisse moisi plutôt que d'entendre les sempiternelles vertus d'une chambre ordonnée! Si vous sentiez les bas de Maxime après un cours d'éducation physique, l'odeur d'une moufette vous deviendrait soudainement très agréable!

Maxime n'est pas responsable de ce problème d'odeur. Il sue énormément dès qu'il bouge et depuis qu'il a douze ans, quelques petits poils apparus sous les aisselles dégagent des odeurs plutôt… malodorantes! Maxime se demande souvent comment de si petits poils peuvent dégager une telle puanteur! Pourquoi le Bon Dieu a-t-il inventé cela? Pourquoi à douze ans, en plus? Pourquoi pas à sa mort, car de toute façon, il sera enterré et l'odeur ne le dérangera plus… Autant de questions sans réponses!

Par contre, il sait maintenant pourquoi son père

doit prendre une douche tous les jours! Maxime croyait que seuls les pères puaient des aisselles après une dure journée de travail ou une partie de hockey! Pas les garçons! Les filles… probablement, mais jamais les garçons! L'odeur de son père… ouf! Atroce! Maxime ne comprend pas que son père puisse puer autant et être si poche au hockey : il est toujours essoufflé et patine beaucoup moins vite que ses coéquipiers. Pourquoi alors sent-il plus mauvais qu'eux après une partie? La puanteur corporelle est-elle directement reliée à la lenteur? Ou bien est-il tellement lent que les odeurs horribles des autres joueurs se collent toutes à lui? Maxime se pose tellement de questions auxquelles il ne trouve réponse. Comme seule explication du phénomène, son père a évoqué l'hérédité de la famille Lussier. Bien pauvre explication…

Malgré cela, il adore son père. C'est son idole, son modèle et son confident. Devrait-il lui parler de la mystérieuse boîte verte? Serait-il capable de deviner son contenu sans l'ouvrir? Elle doit peser près de deux kilos. Et les symboles égyptiens sur les côtés? Pourrait-il les expliquer? Pas tout de suite. Ce n'est peut-être rien de bien important après tout. Le temps le dira bien…

Encore ce matin, Maxime est allé réveiller son père avec Lapinou, un lapin en peluche reçu en cadeau pour Pâques, lorsqu'il avait huit ans. Il lui a promené Lapinou dans le visage en le faisant parler d'une petite voix hyper fatigante! Comme d'habitude, son père lui a arraché Lapinou des mains et a fait mine de lui administrer une véritable raclée : coups de poing sur le museau, piétinement partout sur le corps, morsure des oreilles…

Maxime raffole de ce petit rituel matinal avec son père. Ça le fait rire chaque fois. Parfois il rit tellement qu'il s'étouffe et fait des crises d'asthme. Lorsqu'il fait du sport ou qu'il vit des émotions trop fortes, sa respiration devient difficile et un sifflement strident l'accompagne. Il faut toujours faire attention à cela, car dans ces circonstances, son teint blêmit et ses yeux bruns implorent de l'aider. Heureusement, il possède des pompes spécialement conçues pour remédier à la situation. Sinon, il devrait aller régulièrement à l'hôpital.

Ce problème incommode beaucoup Maxime, mais il a appris à vivre avec sa maladie. Sa mère veille constamment à ce qu'il traîne ses pompes avec lui, à l'école et au hockey, en cas de nécessité. Sans cette médication, sa santé, voire même sa vie, est en danger. Il ne doit prendre aucun risque.

CHAPITRE 2

*L*a fameuse boîte verte. Maxime se demande s'il a bien fait de la prendre. Qui a bien pu la laisser à un endroit aussi peu fréquenté ? Aucun nom n'y figure, nul message ni indication révélatrice. Voilà pourquoi il l'a emportée sans demander de permission. Même s'il ne l'a pas encore ouverte, trop inquiet ou ayant trop peur de découvrir son contenu, cela l'intrigue au plus haut point. Il se trouve devant un sérieux problème de conscience : comme ce colis ne lui est pas destiné, a-t-il le droit de l'ouvrir ? Viole-t-il le droit de son propriétaire ? S'il contient une bombe, lui explosera-t-elle en pleine figure lorsqu'il l'ouvrira ? Découvrira-t-il une pierre magique qui le transformera instantanément en loup-garou ou en une autre créature tout aussi effroyable ? Tout est possible avec une imagination fertile comme la sienne. Il a tellement regardé d'émissions à la télévision à ce sujet. Bien qu'il soit conscient que ces émissions de télévision sont uniquement de la fiction, un doute persiste tout de même dans son esprit : et si, pour une toute petite fois dans l'histoire de l'humanité, c'était réel ? Ne pourrait-il pas exister vraiment une pierre magique ou un sortilège maléfique ? Pourquoi pas ?

Maxime combat pour ne pas ouvrir le mystérieux colis. Il s'attend à ce qu'une personne se manifeste dans l'école pour réclamer son dû. Tôt ou tard, Diane, la secrétaire de l'école, demandera par interphone si quelqu'un a trouvé une boîte verte à la bibliothèque. Sagement, le jeune garçon décide d'attendre encore quelques heures. Toutefois, sa curiosité a des limites ! Il vaudrait probablement mieux le rapporter immédiatement à Diane, mais Maxime soupçonne ce mystérieux colis de cacher quelque chose d'intrigant. Il décide alors de mener sa petite enquête avant de le remettre.

CHAPITRE 3

*M*axime Lussier n'existe plus. Il se métamorphose en Max Fouineur, un super détective privé digne de la lignée des James Bond, inspecteur Gadget, Cody Banks et tous les grands détectives de ce monde. S'il s'écoutait, il se rendrait à l'école vêtu de son long manteau beige et de son chapeau feutré brun, mais cela éveillerait probablement quelques soupçons! Aussi, tous ses camarades de classe riraient de lui à n'en plus finir! Quel imbécile oserait s'habiller aussi ridiculement pour suivre un cours de français ou de mathématiques?

Pour cette raison, il décide de revêtir son habituel pantalon bleu marine et son t-shirt de l'Avalanche du Colorado, afin de passer inaperçu et d'élucider ainsi le mystère du colis de la bibliothèque. Lui seul connaît maintenant sa nouvelle personnalité! Les cours deviennent maintenant des prétextes pour se rendre sur les lieux du crime. Toutes ses pensées se dirigent vers la recherche de faits ou d'événements permettant de faire avancer son enquête.

Soudainement, madame Julie n'est plus madame Julie : elle est une suspecte potentielle, une complice ou, pire encore, la tête dirigeante d'une organisation mondiale se spécialisant dans le dépôt de colis suspects sur les rayons des bibliothèques de l'école Notre-Dame-des-Trous-de-Beignes ! Il ne regarde plus madame Diane, cette secrétaire si sympathique et souriante, avec les mêmes yeux : peut-être projette-t-elle cette belle image pour cacher sa véritable personnalité diabolique ! Et la directrice de l'école ? Cette chère madame Poliquin, si sévère et ferme, elle joue sûrement un rôle important dans toute cette sordide histoire. Notre jeune héros a déjà vu un film à la télévision dans lequel le directeur d'une école secondaire campait le rôle du vilain, alors pourquoi madame Poliquin ne participerait-elle pas à toute cette galère ?

Qui d'autre Max Fouineur peut-il suspecter ? Yvan le concierge et son éternelle bonne humeur ? Cache-t-il derrière ce sourire éclatant et contagieux un être machiavélique ? Tout est possible. Tous les grands détectives de ce monde le diront : lorsqu'un crime est commis, tous les personnages sont des suspects potentiels jusqu'à preuve du contraire. Restent alors tous les autres membres du personnel de l'école possédant une clé pour accéder à la bibliothèque : madame Suzanne, la maîtresse de maternelle ; madame Johanne, l'enseignante de première année ; monsieur Gilles, le professeur de deuxième ; madame Hélène, l'institutrice de troisième ; madame Louise, la séduisante enseignante de quatrième année dont Maxime Lussier est secrètement amoureux, mais que Max Fouineur doit malheureusement considérer de la même manière que les autres suspects dans cette histoire ; madame Catherine, qui enseigne la cinquième année et évidemment madame Julie, sa prof. Il faut également ajouter à cette longue liste monsieur Sylvain, le spécialiste de musique, monsieur Daniel, le professeur d'éducation physique, et madame Christine, qui enseigne l'anglais.

Assurément, une longue et fastidieuse enquête s'annonce pour notre jeune détective en herbe. Cependant, cette montagne ne semble pas insurmontable à ses yeux. En premier lieu, Max Fouineur doit surveiller les déplacements de tous les suspects dans le but de vérifier qui peut bien aller à la bibliothèque à l'insu de ses collègues. Oui, une bien longue enquête en perspective pour Max Fouineur…

CHAPITRE 4

*L*e groupe nominal sujet est…

D'un ennui mortel! Maxime a beau essayer de s'intéresser à la grammaire, rien n'y fait. C'est toujours très long et pénible à ses yeux.

— Qu'est-ce que ça va changer dans le monde de connaître les groupes nominaux, les accords, les conjugaisons et toutes ces choses inutiles? murmure-t-il.

Aux yeux de Maxime, la grammaire plaît davantage à son professeur qu'aux élèves. Dans ces conditions, pourquoi ne se donne-t-elle pas un cours uniquement à elle-même? Pendant qu'elle se gargariserait de ces platitudes, les élèves pourraient s'occuper à des choses tellement plus agréables, comme jouer pendant des heures au Game Boy, par exemple! Cela diminuerait considérablement la discipline en classe! Le paradis sur terre!

Maxime s'imagine souvent une classe où tous les élèves seraient libres de faire ce qu'ils désirent, sans avoir à se taper des cours de français, de géographie, d'anglais ou de science. Juste des cours de Nintendo, de PlayStation et de Xbox, avec des récréations de Game Boy et de jeux informatiques. Ça, ça serait une école cool ! Il inventerait des tournois pour déterminer quel élève mériterait l'honneur de trôner sur la chaise de madame la directrice pour la semaine ! Les neuf autres meilleurs concurrents deviendraient les professeurs et ils enseigneraient leurs stratégies pour vaincre l'ennemi ou faire le tour d'une cassette de jeu vidéo sans aide. Les élèves en difficulté seraient obligés de rester après l'école pour suivre des cours de récupération en jeux vidéos. Comme devoir, obligation de passer la soirée à jouer à des jeux électroniques sans se soucier de l'heure du coucher ! Oui, ce serait vraiment une école idéale !

— Alors, Maxime ? Quelle est la réponse ? questionne madame Julie.

— Euh… Donkey Kong ? tente Maxime, complètement perdu dans ses pensées, provoquant ainsi un immense éclat de rire dans la classe.

— Très drôle, Maxime, très drôle ! ironise madame Julie, visiblement offusquée par une réponse aussi idiote. Comme tu ne sembles pas trop t'intéresser à la grammaire, tu resteras après la classe. Tu auras droit à un petit cours personnel de récupération.

— Ah non, pas encore ! se dit Maxime, conscient

que son manque d'attention vient encore de lui jouer un mauvais tour. Si les cours étaient plus intéressants aussi, il s'évaderait moins souvent dans ses pensées. Il prendrait des cours de récupération avec madame Louise tous les jours, mais pas avec madame Julie, par exemple ! Madame Louise sent tellement bon… avec ses beaux grands cheveux noirs… et son beau teint basané… son sourire… Voilà notre jeune héros reparti dans ses pensées.

Le reste de la journée est un véritable supplice. Ses parents seront encore fâchés pour cet autre écart de conduite en classe et ils le priveront sûrement de Nintendo pour deux semaines. Quand la cloche annonce la fin de la journée, la majorité des élèves de la classe crient de joie, libérés de leur prison scolaire. Sauf Maxime. Dans quelques instants, il sera seul avec madame Julie pour une leçon additionnelle de grammaire. Il devra l'écouter attentivement pendant trente longues minutes. Ce n'est pas que madame Julie soit ennuyeuse, bien qu'elle le soit tout de même un peu, en toute franchise, mais il trouve surtout frustrante l'idée de se concentrer sur une matière aussi excitante qu'une course d'escargots au ralenti ! Avaler des crapauds galeux serait cent fois plus agréable !

Chapitre 5

— *T*out le monde est là ? demande Lucie Poliquin.

— Presque, Lucie. Julie est en récupération avec un élève, répond Suzanne.

— Hum… elle savait pourtant qu'il y avait une réunion extrêmement importante cet après-midi, non ?

— Je sais, je sais… elle doit avoir encore oublié. Ça lui arrive plutôt souvent depuis quelque temps.

— J'ai remarqué cela, moi aussi. Il faudrait peut-être songer à se trouver une nouvelle présidente.

— Tu n'y penses pas vraiment, Lucie ?

— Il est inadmissible d'oublier une réunion de cette importance, tu le sais bien, Suzanne. Surtout en ce moment.

— Oui… peut-être bien, mais de là à vouloir lui enlever son titre de présidente, je pense que tu y vas un peu fort.

— Je ne suis pas la seule à penser cela.

Lucie Poliquin scrute la salle de réunion du personnel enseignant à la recherche de regards approbateurs. Dans un silence lourd, tous les membres autour de la table n'osent manifester leur assentiment, craignant de passer pour traîtres aux yeux de leurs collègues.

— Diane, tu ne sembles pas d'accord avec ce que je viens de dire. Est-ce que je me trompe ?

— Je préfère m'abstenir, Lucie. Je n'ai pas envie d'aborder cette discussion. Pas maintenant. La situation est trop grave pour que l'on commence à vouloir tout chambarder de la sorte, je pense.

— Diane a raison, Lucie. Julie est notre présidente et ce n'est pas un petit oubli qui doit tout remettre son pouvoir en question, relance Catherine.

— Un petit oubli ? Vous ne semblez pas réaliser la gravité de la situation ! Je vous rappelle que nous avons perdu l'indice, au cas où vous l'auriez oublié.

— Tout le monde en est très conscient, Lucie, ne crains pas. Toutefois, je pense que Julie est la personne la mieux placée pour nous aider à trouver une solution. Elle est la cofondatrice de ce club, ne l'oublie pas.

— Je peux comprendre, mais cela ne l'excuse pas d'avoir oublié cette rencontre, il me semble.

— Je vais aller la chercher, fait Diane.

— D'accord, mais assure-toi de ne pas éveiller les soupçons de son élève en retenue, compris ?

— Je suis plus débrouillarde que cela, voyons, Lucie !

— On n'est jamais trop prudent, Diane, n'oublie jamais cela !

— Je sais, je sais.

CHAPITRE 6

Madame Julie déploie d'énormes efforts pour orienter l'attention de Maxime sur la phrase écrite dans son volume *Au-delà des mots,* mais ce dernier éprouve toujours autant de difficulté à s'y intéresser.

— Le groupe sujet de cette phrase est… lance madame Julie, légèrement exaspérée devant la lenteur de la réaction de son élève.

— Euh…

— Voyons, Maxime! Tu es bien meilleur que ça, d'habitude! Concentre-toi un peu, ma foi du Bon Dieu!

— J'essaie, j'essaie… bégaie-t-il, visiblement confus. Mais on dirait que je suis tout mélangé dans mes termes. Le sujet subit l'action, c'est bien ça?

— Non! Ça, c'est le groupe complément! Tu dors ou quoi? Le groupe sujet, c'est celui qui…

— Excusez-moi de vous interrompre, madame Julie, mais vous êtes attendue d'urgence pour la réunion, lance Diane, tout essoufflée, le visage rougi par l'effort.

Son léger surplus de poids prend tout son sens lorsque vient le temps de fournir un effort physique soutenu, comme marcher à toute vitesse ou monter un escalier, par exemple. Elle se promet toujours de recommencer à s'entraîner pour perdre ses dix kilos en trop, mais la fatigue accumulée de ses longues journées de travail, combinée à un tantinet de paresse génétiquement transmise par son père, explique son inaction. Surtout qu'à quarante-cinq ans, vient un temps où le repos et les soirées que l'on peut passer confortablement installé sur un divan moelleux l'emportent sur la volonté de maigrir. De toute façon, son conjoint bedonnant l'aime bien ainsi, l'appelant même affectueusement sa belle « poupoune » d'amour.

— La réunion ? De quelle réunion parles-tu ? Il n'y a pas de réunion aujourd'hui, il me semble…

— Mais oui, madame Julie, nous avons une réunion très importante ! Vous ne vous rappelez pas ?

— Désolée, ça ne me dit rien.

— Pouvez-vous venir dans le corridor un instant ? J'aimerais vous parler.

— J'arrive.

Les deux femmes s'éloignent de la salle de classe, mais pas suffisamment pour empêcher Max Fouineur d'entendre quelques bribes de leur conversation.

— …important… le Maître… indice disparu… grave… urgence…

Madame Julie revient en classe le teint blême et les yeux pratiquement sortis de leur orbite tellement ils sont grands ouverts. Elle panique, c'est évident! L'enseignante ramasse une pile de papiers dans son tiroir inférieur gauche et la place en toute hâte dans son porte-documents en cuir brun clair. Nerveusement, elle tente de fermer la fermeture éclair, mais quelques feuilles dépassent et l'en empêchent. À son insu, elle déchire un bout d'une des feuilles blanches en forçant la note. Le morceau de papier atterrit sous son bureau et Max Fouineur l'aperçoit près de la patte avant droite du bureau de son enseignante.

— Ramasse tes choses, Maxime, je dois quitter immédiatement pour aller à une importante réunion.

— Mais mon groupe sujet, madame Julie?

— Laisse tomber pour ton cours de récupération, je n'ai plus le temps de t'aider. On se reprend une autre fois, d'accord?

— Ce n'est pas trop grave, j'espère?

La question surprend madame Julie. Après tout, de quoi son élève se mêle-t-il? Espère-t-il qu'une adulte, en position d'autorité par rapport à lui par surcroît, lui confesse ses ennuis? Pour qui se prend-il? s'indigne-t-elle devant la familiarité d'un élève qu'elle connaît depuis à peine quelques mois.

— Non, non, rien d'important pour toi... Peux-tu te presser un peu, mon grand? Je suis attendue d'urgence.

— D'accord, je me dépêche. Vous pouvez y aller, si vous voulez, je vais barrer en sortant, si ça vous arrange.

— Tu pourrais faire ça? Tu serais bien gentil.

Elle tourne le loquet de la porte pour le verrouiller.

— Tu n'as qu'à fermer la porte, elle est déjà barrée, propose-t-elle.

— Parfait, je vais le faire.

— Merci, Maxime. Bon, j'y vais, moi... Bye-bye!

La jeune femme déguerpit dans l'escalier le plus près sans écouter Maxime la saluer. Max Fouineur entend clairement le bruit des talons de souliers contre les plaques de métal des marches. Julie retrouve Diane en bas de l'escalier et leurs voix s'éteignent graduellement dans le silence de l'école vide. Le jeune détective en profite pour ramasser le fameux bout de papier déchiré quelques secondes auparavant. En le retournant, il aperçoit des lettres inscrites à l'encre verte :

NTE RÉ

DI A

B DES 7

Max Fouineur analyse longuement le bout de papier de madame Julie. Évidemment, il révèle peu d'information, mais Max se doute bien qu'il cache un mystère important. À ses yeux, la partie la plus importante constitue le « B DES 7 ». Il doit trouver un mot finissant par B pour reconstituer cette partie du message. Il fouille dans tous les recoins de son cerveau afin de trouver cet indice. Bonne nouvelle, peu de mots se terminent par cette lettre. Il saisit un dictionnaire Larousse sur l'étagère du fond et tourne les pages, question de chercher des idées. Il ne trouve aucun mot avec cette rare terminaison. Soudain, en regardant l'affiche des Voltigeurs de Drummondville sur le mur, un éclair de génie lui traverse l'esprit. Et si c'était « CLUB » ? Ça aurait beaucoup de sens! CLUB DES 7! Bingo! Ça ne peut pas être autre chose que cela!

Max Fouineur met alors ses énergies sur un club de sept personnes. Quel genre de club ? Quel club a besoin de sept joueurs ? Un club de hockey ? Pas vraiment. Il est toujours préférable d'avoir deux lignes d'attaque et un gardien de but pour pouvoir suivre le rythme et éviter de ramasser ses tripes sur la glace ! Maxime a déjà vécu l'expérience de jouer une partie de hockey avec peu de joueurs et ce fut extrêmement pénible ! À cause de son asthme, il n'avait pu terminer le match, tellement ses poumons brûlaient !

Un club de basket ? Possible. Un club de volley-ball ? Pourquoi pas ? Un club de soccer ? Pas impossible, mais peu probable, pour les mêmes raisons que le hockey. Un club de bridge ? Habituellement, il faut être en paires pour cela, alors à rejeter. Un club de lecture ? Intéressant. Très intéressant, même. Mais pourquoi former un club de lecture avec un nom bizarre ? Peut-on simplement avoir une passion commune pour la lecture sans avoir à donner un nom au groupe ? Très improbable. De plus, pourquoi une telle réunion énerverait-elle autant madame Julie ? Assurément, il ne s'agit pas d'un club de lecture.

Max Fouineur ramasse ses effets personnels et quitte la classe. Il décroche son manteau bleu marine et attache ses souliers de printemps noirs, comme sa mère le lui a ordonné. Cette dernière craint toujours qu'un rhume affaiblisse ses poumons, rendant ainsi sa respiration très difficile. Il a vécu cela tellement de fois que sa mère l'oblige à bien se chausser par temps frais. Maxime préférerait imiter les autres élèves de son école et mettre des « runnings » pas attachés et faire son « hot », mais comme il veut éviter les sermons de ses parents, il aime mieux passer pour un « nerd ». Que voulez-vous, la raison l'emporte sur la passion.

Le comportement de madame Julie intrigue énormément Max Fouineur. Il pense à une stratégie pour espionner son enseignante et trouve un moyen de la déranger pendant la réunion. Ainsi, il découvrira peut-être un indice pouvant l'éclairer davantage dans son enquête. D'un pas décidé, il se rend à la salle des professeurs, un étage plus bas. Se doutant que s'il cogne à la porte, on lui refusera l'accès au local, Max saisit promptement la poignée de porte métallique argentée et ouvre vivement la porte.

— Madame Julie, je m'excuse de vous déranger. Est-ce que je dois terminer mon devoir à la maison ?

Toutes les têtes se tournent instantanément pour fixer l'intrus qui ose les déranger de la sorte. Madame Julie accourt à toute vitesse, le visage pourpre de colère, du feu dans les yeux. Elle empoigne fermement Maxime par le bras gauche et l'accompagne dans le corridor.

— On ne t'a jamais montré à frapper aux portes

avant d'entrer quelque part? Qu'est-ce que tu veux au juste? lance-t-elle sèchement.

— Je m'excuse, madame Julie. Je n'y pense jamais. Je vais le faire la prochaine fois. Je voulais juste savoir si je devais terminer mon travail à la maison ce soir.

— Euh… non, non, ce ne sera pas nécessaire. Dis-moi, tu n'as rien vu de particulier, n'est-ce pas?

— De quoi voulez-vous parler? s'inquiète notre jeune héros, se demandant si elle sait qu'il possède la mystérieuse boîte verte.

— Dans la salle des professeurs, je veux dire… Tu n'as pas eu le temps de voir quelque chose, pas vrai?

— Non, je n'ai rien vu… excepté un tas de visages qui avaient l'air choqué… Êtes-vous en train d'organiser une surprise pour les élèves finissants?

La question soulage madame Julie, qui perd aussitôt son teint rouge vif, laissant apparaître à nouveau son sourire si enjôleur.

— En quelque sorte, oui, dit-elle doucement. Mais comme c'est une surprise, tu comprends bien que je ne peux pas t'en parler, n'est-ce pas?

— Je comprends très bien. Vous pouvez compter sur moi, je n'en parlerai à personne. Juré!

— Je compte sur toi pour n'en parler à personne, Maxime. Je te fais confiance.

— Bon, eh bien, je vais y aller. Bye, madame Julie !

— Au revoir, Maxime. À demain !

— À demain !

CHAPITRE 8

Maxime est quelqu'un de très méticuleux et calculateur. Un exemple? Comme d'habitude, il retourne à la maison à pied pour le dîner. Il franchit la distance en onze minutes environ. Quotidiennement, il calcule son temps. Sur un tableau dans sa chambre, il compile ses cinq meilleures performances à vie. Chaque jour, il essaie d'établir une nouvelle marque, sans prendre de raccourci ni courir. Son record est de dix minutes et trente-huit secondes, réalisé lors d'un magnifique mercredi de novembre. Il ne parvient jamais à améliorer sa marque, malgré de nombreuses tentatives. Le dix-huit mars dernier, il franchit la distance en dix minutes et quarante-trois, mais par la suite, jamais en moins de dix minutes et cinquante secondes. Maniaque du détail, il consulte le site Internet de MétéoMédia tous les matins pour connaître la vitesse et la direction du vent et la pression barométrique pour évaluer ses chances de battre son record. Un vrai perfectionniste! La véritable solution serait de faire un peu plus d'exercice, mais Maxime préfère passer ses temps libres à jouer au Nintendo!

Cette fois, Max Fouineur se concentre sur autre chose que son espoir de battre un ridicule record de marche. Il se remémore la scène qu'il a brièvement vue à la salle des professeurs, cinq minutes plus tôt: sur la table en noyer rouge, il revoit une forme pyramidale en verre bleuté avec un point blanc au milieu. Il y en a une devant chaque personne, excepté madame Julie. Cette dernière s'empresse de cacher la sienne, comme si c'était une pierre précieuse. Max revoit les personnes présentes à la réunion: en plus de madame Julie, il y a madame Poliquin, madame Diane, madame Suzanne, monsieur Gilles, madame Catherine et monsieur Daniel.

— Que peuvent-ils bien préparer comme surprise? s'interroge-t-il.

Cette question le hante tout le long de la soirée, et même de la nuit. Quelle est l'utilité de cette mystérieuse pyramide en verre bleuté? Prépare-t-on une sortie de fin d'année en Égypte pour les élèves finissants? Quelle idée farfelue! Cela coûterait une fortune! Ce n'est sûrement pas avec les quatorze dollars et quarante-cinq cents qu'il a amassés lors de la campagne de financement que l'école pourra organiser un tel voyage! Que manigancent-ils, alors?

Le thème de l'activité concernera sûrement les pyramides ou l'Égypte, mais quoi d'autre ? Va-t-on bâtir une pyramide géante en papier mâché et l'installer dans la cour d'école ? Ce serait un super projet, ça ! L'idée enthousiasme notre héros et il s'endort sur cette belle pensée.

Deux heures plus tard, Maxime s'assoit d'un trait dans son lit en criant :

— Le Club des Sept ! Le Club des Sept ! C'est ça ! C'est le Club des Sept ! réveillant ainsi toute la maisonnée et faisant même japper le chien à tue-tête ! En toute hâte, les parents de Maxime accourent dans la chambre, complètement affolés :

— Mon doux seigneur ! Qu'est-ce qui se passe, Maxime ? demande sa mère, tout essoufflée d'avoir descendu l'escalier en un temps record, suivie de près par son mari, les deux yeux encore pratiquement fermés, tel un somnambule.

— Qu'est-ce qu'il y a ? s'enquiert Estelle, la sœur de Maxime, réveillée en plein milieu de son rêve. Comme son père, elle est pratiquement somnambule, marchant comme un zombie !

— Rien, rien, ça va, le rassure Maxime, inconfortable d'avoir provoqué un tel bouleversement à une heure aussi tardive. J'ai juste fait un cauchemar, je pense.

— Je t'ai entendu parler d'un club de sept, ou

quelque chose du genre…, explique sa mère. À quoi as-tu rêvé, ma foi du Bon Dieu? Tu avais l'air tellement paniqué!

— Ça va aller, maman, c'est correct. C'est le titre d'un livre que j'ai lu à l'école. Il n'y a rien de grave, j'ai juste fait un mauvais rêve. Je vais me recoucher, ça va aller.

— Tu es sûr, mon grand?

— Oui, maman, ne t'inquiète pas.

— La prochaine fois, lis donc un livre de Garfield avant de te coucher! lui recommande son père, encore tout endormi, avant de tourner les talons pour retourner dans les bras de Morphée.

ax Fouineur n'a pas dormi de
la nuit. C'est évident juste à voir ses traits tirés. Il
a réfléchi toute la nuit à sa découverte. Il existe bel
et bien un Club des Sept dans l'école, mais en quoi
consiste son rôle ? Est-ce le nom donné au conseil
des enseignants ? aux membres du conseil d'établis-
sement ? au comité des sorties pédagogiques ? au comité de la bibliothèque ? Mais pourquoi un tel nom
pour quelque chose de si banal ? Toutes les écoles
possèdent ce genre de regroupement, alors pourquoi
les membres de son école se prennent-ils tant au sérieux ? Quelle est la nécessité de placer une pyramide
de verre devant eux pour parler de sujets scolaires ?

Max Fouineur se pose tellement de questions
qu'il en oublie de se rendre aux toilettes à l'entrée des
classes le matin. Cependant, sa vessie le ramène rapidement à l'ordre ! Il se lève pour se rendre au bureau
de madame Christine, son professeur d'anglais.

— Est-ce que je peux aller aux toilettes ?

— *In English, please!*

Maxime lève les yeux au ciel. Il retourne à son bureau, regarde sa feuille de phrases utiles en classe et cherche nonchalamment sa question en anglais. Au bout de longues secondes, il trouve finalement la fameuse phrase.

— *Can I go to the washroom, please?*

— *Yes, you can.*

Maxime court vers la salle de bain à l'étage inférieur. Il lève les yeux au ciel, comme pour remercier son créateur d'avoir inventé les urinoirs! En faisant cela, son regard est attiré par une forme coutumière, placée tout près du plafond sur une petite tablette violette généralement réservée pour les rouleaux de papier hygiénique. Une petite boîte carrée verte repose à côté du dernier rouleau. Le même genre de boîte que celle de la bibliothèque. Un autre colis mystère! Décidément, Max Fouineur a l'œil pour découvrir ce genre de chose!

Comment faire pour l'attraper? Il ne parviendra jamais à atteindre une telle hauteur sans l'aide d'un escabeau. Même en se tenant debout sur l'urinoir, tâche déjà périlleuse en soi, il lui manquerait encore plusieurs centimètres.

Max Fouineur est vraiment un détective hors du commun. Il trouve toujours une solution en un rien de temps. Comme il ne peut monter à cette hauteur, pourquoi ne pas faire l'inverse? Pourquoi ne pas faire descendre ce qui est trop haut? Il s'agit maintenant pour lui de démontrer ses qualités athlétiques au lancer du rouleau de papier de toilette! Il se précipite vers la première des cinq toilettes à sa gauche et retire un rouleau presque terminé. Après quelques vaines tentatives, il constate que le rouleau est nettement trop léger pour atteindre la hauteur requise. En plus, un rouleau de papier hygiénique, ça se déroule! Il essaie d'enrouler le papier autour du cylindre de carton brun, mais cela donne un résultat atroce! Il y a maintenant près de trente centimètres d'épaisseur de papier autour du rouleau!

Cette fois-ci, il prend le plus gros rouleau de la salle de bain, dans la quatrième cabine. Après deux tentatives infructueuses, il atteint la cible, faisant basculer la boîte. Craignant que le contenu soit fragile, Max capte la boîte maladroitement de sa main gauche et referme rapidement sa main droite par-dessus pour la garder en équilibre.

Que faire maintenant? Impossible de mettre la boîte dans ses poches de pantalon. Pas question de retourner en classe avec elle sans éveiller les soupçons. Où la cacher alors? Des bruits de pas rapides s'accentuent vers la salle de bain. Le cœur de Max bat de plus en plus fort. Il est cuit si jamais quelqu'un y pénètre. Il se colle au mur près de la porte et attend que l'intrus pénètre dans la salle de bain pour s'enfuir à toute vitesse. Son plan est bon, mais il n'est pas infaillible : Guillaume Allard entre juste sa tête dans la pièce pour vérifier s'il y a quelqu'un. Évidemment, il aperçoit Maxime dès le premier regard. Ce dernier, les mains dans le dos, complètement figé, se met à avoir des sueurs froides. Son meilleur ami le regarde bizarrement, mais Maxime soupire de soulagement.

— Maxime ! C'est bien long ! La prof d'anglais m'a demandé d'aller voir si tout allait bien. Ça va ?

— Oui, oui, Guillaume, ça va. J'ai... j'ai juste eu un peu de misère... mais là, ça va.

— T'es sûr, Max ? T'es tout blanc ! Tu ressembles à un pichet de lait !

— Je t'assure, Guillaume, ça va bien ! Je... j'ai juste... la diarrhée !

— Oh ! je te comprends ! sursaute Guillaume.

— Je ne voulais pas en parler... je trouve ça plutôt gênant comme sujet de conversation.

— Ouais, on dirait que t'as eu de la misère avec ton papier de toilette ! observe Guillaume, en parlant du gros rouleau de papier hygiénique presque tout déroulé sur le plancher de céramique grise de la salle de bain. Tu veux que je te montre comment faire pour t'en servir comme il le faut ?

— Pas nécessaire! rigole Maxime. Je me suis amusé un peu…

— T'es mieux de tout ramasser avant que le concierge ne voie cela, sinon tu vas avoir une belle retenue, tu peux me croire!

— Ouais, t'as raison. Écoute, retourne en classe pis dis à la prof que j'arrive dans quelques minutes. Dis-lui que j'ai des crampes intestinales terribles pis que je reviens dès qu'elles sont passées. Tu peux faire ça pour moi?

— Pas de problème. Mais à une condition.

— Laquelle?

— Que tu me dises ce que tu caches dans ton dos.

Maxime redevient tout en sueur. Il espérait que Guillaume ne s'aperçoive pas qu'il cachait la boîte, mais comme il lui demande une grande faveur, il ne peut refuser.

— Je vais te le montrer à une condition, Guillaume.

— Laquelle?

— Que tu me jures que tu n'en parles à personne.

— Je le jure.

— Juré, craché?

— Juré, craché! Guillaume crache dans le lave-mains circulaire au centre de la pièce en guise de preuve. Maxime lui montre la boîte. C'est quoi, ça, Max?

43

— Je peux pas t'en parler pour le moment, je sais même pas ce que c'est moi-même.

— Tu devrais l'ouvrir!

— Pas question! C'est pas à moi. Je viens de la trouver.

— Fais pas ton peureux, Max! Ouvre!

— Je peux pas.

— Comment ça, tu peux pas?

— Parce que c'est pas la première que je trouve, pis j'ai pas ouvert l'autre.

— T'en as trouvé une autre?

— Oui, mais je peux pas t'en parler tout de suite… Attention! Il y a quelqu'un qui s'en vient! La prof doit avoir envoyé un autre élève pour venir voir pourquoi tu prends autant de temps à revenir en classe.

Guillaume sort de la salle de bain et va au-devant de madame Christine, qui s'en vient d'un pas décidé, le visage rempli de colère.

— Guillaume, je t'envoie pour aller t'informer de la raison pour laquelle Maxime prend autant de temps aux toilettes et toi, tu prends presque autant de temps pour venir me le dire. Y a-t-il un problème?

— Non, non, c'est juste qu'il a de très grosses crampes au ventre pis ça prend du temps à passer.

— Vraiment? Je vais aller le voir.

— Non, non, non! Faites pas ça, madame Christine!

44

— Comment ça, ne faites pas ça? Je vais le faire si je le veux, d'accord? Tu ne me diras pas ce que je dois faire.

— Je vous jure, madame Christine! Ça pue le diable dans la salle de bain! J'ai failli m'évanouir tellement ça sentait mauvais!

— À ce point-là? questionne madame Christine, inquiète.

— Oui, madame Christine. À ce point-là. On dirait que Maxime a mangé un sac de compost passé date pour souper, hier soir!

— Oh… bien, je vais quand même m'informer… Ça va aller, Maxime?

— Oui, oui, madame Christine… Prrrrrrrrrr…, répond Maxime, imitant le bruit d'une énorme flatulence avec sa bouche. Je remonte aussitôt que mes crampes vont être passées. Prrrrrrrrrr.

— Hum… Prends tout le temps qu'il faut, Maxime. Je n'ai pas envie d'entendre, et encore moins de sentir ça dans la classe… Tu reviens quand tu te sens mieux, OK?

— OK… Crime que ça pue!

L'enseignante et Guillaume remontent en classe en discutant du pauvre Maxime et de ses terribles problèmes gastriques. Max Fouineur dispose maintenant de toute la latitude désirée pour dissimuler son deuxième colis mystère dans un endroit sûr.

CHAPITRE 10

À la réunion extraordinaire du Club des Sept, c'est Lucie qui prend la parole, et non Julie. La situation est dramatique et il revient à la personne la plus expérimentée du groupe de calmer les inquiétudes.

— J'avais raison de refuser Yvan dans notre club, malgré ses demandes répétées d'en faire partie. C'est un incompétent de la pire espèce. Nous devrions posséder deux indices en ce moment, mais cet imbécile n'en a récupéré aucun. Cela trouble considérablement notre démarche, vous le savez bien. Il paraît évident maintenant qu'il y a dans l'école quelqu'un qui connaît notre organisation et qui s'amuse à nous mettre des bâtons dans les roues. Je soupçonne même des membres du clan rival de s'être infiltrés dans notre équipe-école. J'ignore de quelle façon, mais il est clair que nous ne sommes plus seuls dans la quête absolue. Je regrette d'avoir à vous dire cela, mais il va falloir redoubler de vigilance et se méfier de chaque membre du personnel qui ne fait pas partie de notre club. Aussi, il semble maintenant nécessaire de nous débarrasser d'Yvan, car il constitue un boulet à nos pieds. Nous n'aboutirons à rien si nous continuons à lui faire confiance. Voilà pourquoi, dès lundi prochain, il sera remplacé. Je recommanderai à la commission scolaire de lui donner un congé prolongé pour cause d'incompétence. J'avais prévu le coup, car je me doutais bien qu'il échouerait. J'ai donc monté un dossier indiquant toutes les fois où il n'a pas accompli sa tâche correctement ou qu'il a manqué de temps pour le faire. Je peux prouver son incompétence et demander son retrait de notre école sans difficulté. La commission scolaire va accepter ma demande si mon dossier est étoffé, et il le sera, soyez-en convaincus. Si nous continuons à décevoir le Maître, nous pourrions subir le même sort que les membres du Cercle de la Voie Céleste, il y a de cela vingt-deux ans. Rappelez-vous les lectures que vous avez faites à ce sujet, lors de votre intronisation dans ce club. Il ne faut jamais décevoir le Maître sans s'attendre à subir de graves sévices. Julie, en tant que présidente de ce club, tu dois approuver cette requête. La loi du Maître veut que tu signes le document d'exclusion d'Yvan comme membre intermédiaire de notre organisation, afin qu'il soit rendu officiel.

— Je me demande si nous ne devrions pas donner une dernière chance à Yvan, Lucie. Le pauvre est totalement démoralisé d'avoir failli à sa tâche. Il m'a promis solennellement qu'il retrouverait les deux indices d'ici quelques jours.

— Pas de sentiment, Julie. Rappelle-toi les règles du Maître. Ne sois pas humaine en tant que présidente de notre club, sois logique. Notre mandat est de répondre à ses attentes, peu importe la façon d'y parvenir, et Yvan a échoué à sa mission.

— Tu as raison, Lucie. Pas de sentiment. D'accord. Je te donne la permission de trouver un remplaçant pour Yvan, mais il faut faire vite. D'autres indices seront déposés sous peu et il ne faut plus qu'ils tombent dans des mains ennemies.

— Je me mets à la tâche immédiatement, Julie. Tu ne seras pas déçue de mon prochain concierge.

— Tu as quelqu'un en tête?

— Oui, et avec elle, nos ennemis auront intérêt à se tenir tranquilles.

— Avec elle? Une femme concierge?

— Tu n'auras jamais vu mieux!

— Je te fais confiance, Lucie.

— Tu ne le regretteras pas, Julie.

CHAPITRE 11

Le lundi suivant, Lucille Plourde arrive à l'école comme nouvelle concierge, suscitant une multitude de commentaires et de questionnements. Il est plutôt inhabituel pour une femme d'occuper cette fonction traditionnellement réservée aux hommes, et ce, depuis le début des temps. Quelle commotion ! Toutefois, elle n'a de féminin que le prénom ! Elle est de taille plutôt petite, mais elle est très corpulente et extrêmement robuste. Son visage rond et sévère lui donne un air de marâtre et son sourire est si rare qu'une rumeur voulant qu'elle n'ait aucune dent dans la bouche circule déjà parmi les élèves !

Dès son arrivée, elle engueule les élèves qui laissent traîner leurs souliers dans les corridors, menaçant de tout jeter dans le gros conteneur noir destiné aux enfants pauvres d'Afrique. En un seul avant-midi, par un comportement digne des plus grands dictateurs de ce monde, elle répand un climat de terreur dans toute l'école. Raphaël Joncas, le « se pense hot » attitré de l'école, selon l'expression inventée par Maxime, essaie son petit stratagème habituel pour tester la nouvelle venue. Il en paie très rapidement le prix. Il ose subtilement se moquer d'elle en lui demandant innocemment si elle est lesbienne pour exercer ainsi un métier traditionnellement réservé aux hommes. Erreur. Très grave erreur. En moins de deux, avec l'appui de la direction, l'impitoyable concierge assigne au jeune insolent la très agréable tâche de nettoyer les toilettes de l'école avec une brosse à dents, après chaque récréation, pour les trois prochains jours ! Le message se propage comme une traînée de poudre parmi tous les élèves tannants de l'école : personne ne se moque de la nouvelle concierge.

Maxime n'est pas ce genre d'élève, mais il redoute vraiment cette femme. À ses yeux, elle représente une menace. Pourquoi remplace-t-elle monsieur Yvan ? En croisant la directrice dans un corridor, il prend l'initiative de lui poser la question. La réponse est que monsieur Yvan est en congé prolongé jusqu'à la fin de l'année. Cette réponse ne satisfait pas Max Fouineur. Il y a anguille sous roche, cela semble plus qu'évident à ses yeux. Qui est donc cette madame Lucille ? D'où vient-elle ? A-t-elle déjà été concierge dans une autre école de la commission scolaire auparavant ? Pourquoi monsieur Yvan est-il subitement tombé malade, alors qu'il semblait en excellente forme ? Tout cela semble très louche. Y a-t-il un lien entre tout ce chambardement et les deux boîtes ? Est-ce une vengeance du Club des Sept ?

Le retour pour le dîner prend onze minutes et quatre secondes aujourd'hui. La concentration de Maxime est perturbée. Des tonnes de questions trottent dans sa tête. Maxime sait pourtant très bien qu'il faut toujours se concentrer sur son objectif pour espérer battre un record mondial. Tous les grands athlètes de notre siècle le répètent continuellement dans les revues sur le sujet.

Après avoir terminé son macaroni au fromage, Max Fouineur se rend immédiatement sur le site Internet de la commission scolaire pour consulter la liste du personnel de toutes les écoles primaires et secondaires ainsi que du secteur de l'enseignement aux adultes. Au bout d'une quinzaine de minutes de recherche, le constat est sans équivoque : madame Lucille ne fait pas partie de la commission scolaire. Elle a été embauchée spécialement pour remplacer monsieur Yvan. Cela la rend encore plus mystérieuse aux yeux de Max Fouineur. Il devra assurément mener sa petite enquête sur elle.

De retour à l'école, Max prend le taureau par les cornes et trouve une stratégie pour établir un lien avec la nouvelle venue. Il demande la permission à monsieur Daniel, en surveillance ce midi-là, pour aller aux toilettes à cause de crampes intestinales insoutenables. Une fois à l'intérieur, Max Fouineur part à la recherche de madame Lucille. Il grimpe l'escalier menant au deuxième étage : rien. Soudain, il entend vaguement des voix féminines à l'étage supérieur. Cette fois-ci, il monte très silencieusement l'escalier menant au troisième étage afin de ne pas éveiller les soupçons.

Max s'immobilise à quatre marches de l'étage et s'accroupit. De ce point, il entend parfaitement la conversation, reconnaissant les voix de madame Julie et de la concierge.

— Tu comprends bien ce que je viens de t'expliquer, Lucille ?

— Très bien, Julie. Tout est clair. Je commence cet après-midi ?

— Oui, le plus tôt sera le mieux, je pense. Le Maître n'est pas reconnu pour avoir une très grande patience.

— En effet, j'ai déjà travaillé pour lui dans une autre mission et je te jure que quand il perd patience, il y a des têtes qui roulent…

— Tu… tu as déjà travaillé pour le Maître ? Lucie ne m'avait pas dit ça. Donc, tu sais qui c'est ?

— Pas vraiment, je lui parlais seulement au téléphone ou par courriel. Disons qu'il n'est pas le genre

à jaser bien longtemps, si tu vois ce que je veux
dire.

— J'imagine… Puis? C'est comment, de travailler
pour lui?

— Plutôt stressant, je te dirais. Toutefois, tu ne dois
jamais lui faire mention de ce que je viens de te dire
là, OK?

— Pas de danger, ça restera entre nous. Promis.

— Bien, la seule fois que j'ai travaillé pour lui, c'était
dans une situation semblable à celle-ci. Lucie était à
la tête d'un groupe formé par le Maître afin d'établir
nos bases dans la partie est des États-Unis : Boston,
New York, le New Hampshire, etc. Après quelques
semaines, le Maître avait entendu dire qu'une journaliste s'était infiltrée dans le groupe afin de dévoiler l'existence de notre organisation et ainsi y mettre
fin. Elle y était presque parvenue, sauf que le Maître
m'avait fait sortir de la prison de Joliette, je ne saurais
dire comment, pour me demander d'aller démas-
quer l'intruse. Il m'avait donné trois noms possibles
de suspectes et j'avais seulement une semaine pour
réussir mon mandat, sinon je retournais en dedans.
J'ai vite compris que si j'échouais à cette mission, je
ne verrais pas le soleil avant un sacré bout de temps.
Il a du pouvoir, tu sais. J'aurais passé vingt-trois heures sur vingt-quatre dans ma cellule et ils m'auraient

laissée me dégourdir les jambes uniquement durant la nuit. Tu vois le genre?

— Je vois très bien, en effet.

— Alors, laisse-moi te dire que j'avais beaucoup de pression sur les épaules. Je ne pouvais pas me permettre d'échouer. Mais comme tu vois, je suis là!

— Tu as trouvé l'intruse?

— Oui, en quatre jours. C'était le bras droit de Lucie… À partir de ce moment, le Maître a décidé que Lucie ne serait plus jamais la tête dirigeante d'aucune de ses missions. C'était une grâce qu'il lui faisait, tu peux me croire. En principe, elle aurait dû être éliminée elle aussi.

— Elle aussi? Tu veux dire que la journaliste…

— Oui, elle n'est plus de ce monde. C'est le sort réservé aux personnes qui osent essayer d'empêcher les volontés du Maître. Et elle n'est pas la première.

— Il y en a beaucoup?

— Il doit y en avoir une dizaine, je dirais, depuis le début.

— Ouais, tu commences à me faire un peu peur, tu sais…

— J'aime mieux te donner l'heure juste, Julie. N'essaie jamais de tromper le Maître. Ta vie en dépend.

— Ce n'est pas mon intention, c'est sûr, mais je me demande ce qu'il me fera si jamais j'échoue à cette mission. Après tout, c'est moi qui lui ai suggéré de prendre Yvan comme commissionnaire. Et tu connais les résultats jusqu'à maintenant. J'ai perdu les deux premiers indices. J'ai peur, Lucille, dit-elle en éclatant en sanglots.

— Ne t'en fais pas comme ça, Julie. Tant que tu resteras fidèle au Maître, ta vie n'est pas en danger.

— Mais si j'échoue? Que va-t-il faire de moi?

— Tu n'échoueras pas, Julie. Je suis là pour remettre la situation en ordre. Je sais ce que j'ai à faire et crois-moi, quand j'aurai découvert qui s'amuse à nous mettre des bâtons dans les roues en nous volant nos indices, il y aura une bouche de moins à nourrir sur cette planète.

Max tremble de tous ses membres en entendant les propos de madame Lucille. Son cœur bat à tout rompre et des gouttes de sueur coulent le long de son visage. Il doit redescendre l'escalier sans se faire découvrir, sachant fort bien qu'il paiera très cher son espionnage si jamais les deux femmes remarquent sa présence. Soudain, une main chaude et ferme se pose sur son épaule gauche…

CHAPITRE 12

— Qu'est-ce que tu fais là, Maxime? s'informe monsieur Daniel.

— Je… je…, balbutie Maxime, tremblant de tous ses membres, le visage blanc comme un drap.

— Mon Dieu, tu ne files vraiment pas bien! Tu es tout blanc! Tu trembles de partout! Tu ne peux pas rester comme ça. Viens avec moi, dans mon bureau.

— Je… je sais pas trop.

— Je t'emmène.

Daniel Paquette est un ancien culturiste réorienté vers l'enseignement de l'éducation physique. À la suite d'un malencontreux accident subi lors d'une compétition à Edmonton, il s'est déchiré des muscles dans la cuisse droite, brisant ainsi son rêve de devenir monsieur Canada. Toutefois, soulever un garçon de quarante-cinq kilos ne lui demande pas un effort très considérable. Il transporte aisément notre héros dans son petit local adjacent au gymnase et l'assoit sur la chaise en bois tout près de la porte. L'enseignant quitte momentanément le local, laissant Maxime seul au milieu de cette petite pièce aux murs jaunes et verts. L'odeur de la sueur envahit ses narines à un tel point qu'il en ressent des nausées. Il essaie de se changer les idées en regardant les photos de compétitions de culturisme affichées sur le babillard, près de la petite fenêtre. Cette dernière lui permet de voir le gymnase de l'intérieur du bureau. Assurément, monsieur Daniel fut un très grand athlète. Une multitude de photos le montrent médaillé d'or, à différentes époques de sa vie. Maxime pouffe de rire en voyant la photo de son professeur avec les cheveux bouclés et longs jusqu'au cou! Il ressemble presque à une poupée avec son visage fin et ses traits un tantinet féminins! Il doit avoir environ seize ans sur cette photo, mais son corps est déjà très musclé, principalement au niveau des cuisses.

Monsieur Daniel revient dans le bureau, accompagné de madame Julie. En la voyant, Maxime se raidit sur sa chaise, effrayé. Sa réaction étonne ses deux enseignants.

— Voyons, Maxime! rigole monsieur Daniel. Qu'est-ce que tu as? On dirait que tu as peur de nous!

— Euh… non, non, ce n'est pas ça… Je ne vous ai pas entendus arriver, c'est tout. Je suis désolé.

— Bien oui, il est blanc comme un drap, le petit chat, remarque madame Julie, compatissante. C'est évident qu'il ne va pas bien. Pourtant, tu avais l'air de bien aller avant dîner, pas vrai?

— Oui, oui, j'allais bien… Je ne sais pas trop ce qui m'arrive ces temps-ci, j'ai souvent de très grosses crampes au ventre.

— Monsieur Daniel m'a dit qu'il t'avait trouvé accroupi dans les escaliers… Qu'est-ce que tu faisais là?

La question glace le sang de Max Fouineur. Madame Julie sait maintenant qu'il les espionnait.

— J'essayais de vous trouver. Je voulais vous demander si je pouvais appeler chez moi pour demander à mon père de venir me chercher, mais j'avais tellement mal au ventre que je me suis écroulé dans les marches de l'escalier.

— Monsieur Daniel, pouvez-vous nous laisser seuls quelques instants?

— Je peux rester, madame Julie. Ça ne me dérange pas d'être au courant des problèmes de santé de Maxime.

— J'insiste, monsieur Daniel. J'aimerais être seule avec Maxime, si ça ne vous dérange pas trop. De toute façon, je crois que vous êtes en surveillance, non?

— D'accord, j'ai compris, lance sèchement le

professeur d'éducation physique, offusqué de se voir mettre dehors de son propre bureau.

— Merci, monsieur Daniel, triomphe l'enseignante.

— Mais je reviens dans cinq à huit minutes, je dois préparer mes classes pour cet après-midi et je dois installer les buts de hand-ball. J'aimerais que vous ne soyez plus là quand je vais revenir, exige-t-il, du feu dans le regard. Il est très évident aux yeux de Max que ces deux-là ne s'aiment pas beaucoup!

— Ce ne sera pas long, monsieur Daniel. Je vais m'organiser pour que vous puissiez préparer vos choses et être prêt à temps. Je sais que vous détestez être dérangé dans vos petites habitudes…, rétorque ironiquement sa collègue, se souciant peu du regard haineux qu'il lui lance en sortant du local.

— Est-ce que je vais pouvoir appeler mon père pour qu'il vienne me chercher?

— Ce ne sera pas nécessaire, Maxime. Nous avons une petite pièce près de la salle des professeurs avec un petit lit. Tu pourras t'y reposer le temps que tu voudras et quand tu te sentiras mieux, tu n'auras qu'à revenir en classe. Tu as juste besoin d'un peu de repos, je pense.

— Mais je veux retourner chez moi, madame Julie! pleurniche Maxime.

— Je t'ai dit que ce ne sera pas nécessaire, Maxime,

impose l'enseignante. Tu vas te reposer ici, c'est tout. Je n'aime pas retourner un élève à la maison pour quelques petites crampes. Si jamais à deux heures ça ne va pas mieux, tu pourras appeler chez toi.

— Mais…

— On ne réplique pas, Maxime. C'est impoli.

— Je suis désolé, madame Julie.

— Une petite question comme ça, Maxime. Quand tu étais dans l'escalier, as-tu entendu quelque chose de particulier?

— De quoi voulez-vous parler, madame Julie?

— Tu ne réponds pas à ma question, Maxime. As-tu entendu quelque chose de particulier?

— Bien… je vous entendais parler avec une autre personne, mais je ne comprenais pas ce que vous disiez. Pourquoi?

— Es-tu sûr que tu ne comprenais pas ce que nous disions?

— Oui, je suis sûr, madame Julie. De quoi discutiez-vous?

— Euh… bien… nous discutions de la surprise que nous préparons pour l'école. Tu es vraiment sûr que tu n'as rien entendu de ce dont nous discutions? J'aimerais mieux que tu me le dises, Maxime, parce que si jamais tu me mentais, je serais très en colère contre toi. Tu comprends bien ça?

— Oui, madame Julie.

— Je l'espère bien. Viens avec moi.

Ils quittent le gymnase et se rendent au petit local en question.

CHAPITRE 13

*L*ucille, je veux que tu gardes un œil sur mon élève Maxime. Il est dans le petit local près de la salle des professeurs.

— C'est que je n'ai pas vraiment le temps, Julie. J'ai une tâche pas mal plus urgente à accomplir.

— J'insiste, Lucille. Garde-le à l'œil.

— Qu'est-ce qu'il a fait de si grave?

— Il était dans l'escalier qui mène au troisième étage, il y a de cela une dizaine de minutes.

— Tu veux dire que…

— Je ne peux rien dire pour le moment. Il a dit qu'il voulait me voir pour me demander la permission d'appeler chez lui parce qu'il ne se sentait pas bien, mais que ses crampes étaient tellement fortes qu'il n'a pas pu se rendre.

— Tu crois qu'il ment?

— Je ne sais plus trop. Dis-moi, Lucille, est-ce que je suis en train de paniquer?

— Probablement. Mais dans les circonstances, c'est

tout à fait normal, je dirais. Tu subis beaucoup de pression avec toute cette histoire de colis disparus. Par contre, je ne crois pas que nous devions nous méfier d'un gamin comme lui. Notre mission est beaucoup trop complexe pour qu'un enfant de cet âge puisse nous mettre des bâtons dans les roues.

— Tu as sûrement raison, Lucille. Surtout que Maxime est un élève modèle qui est toujours à son affaire. Ce serait bien la dernière personne dont je me méfierais. Je dois être fatiguée.

— Je vais quand même le garder à l'œil. S'il a entendu notre conversation, il pourrait devenir un témoin gênant.

— Que veux-tu dire par là, Lucille ? Tu ne vas pas me dire qu'il faudrait…

— Je ne suis pas encore rendue à cette étape, mais il est clair qu'il devient un élément à considérer dans mon enquête. S'il fallait qu'il parle…

— Il m'a dit qu'il n'avait pas entendu notre discussion, juste nos voix. Il n'a pas l'habitude de mentir, je le connais bien.

— Lucie disait très bien connaître son bras droit aussi, tu sais.

— Tu penses que je ne devrais pas lui faire confiance ?

— La confiance, c'est tellement relatif, Julie. Rappelle-toi Jules César et son fils Brutus. Tu connais la suite… Brutus a tué son père…

— Tu as raison. Même si je doute que Maxime soit une menace pour nous, je te laisse carte blanche pour le surveiller. Je peux te demander une faveur, par contre ?

— Laquelle ?

— Ne l'élimine pas avant de m'en parler, d'accord ?

— D'accord, mais si je n'ai pas le choix, je devrai le faire. Souviens-toi, Julie, pas de sentiment, si tu veux réussir ton mandat.

— Je sais.

Chapitre 14

Max Fouineur se retrouve devant un cruel dilemme : doit-il retourner les fameux colis sans se faire remarquer et sortir de toute cette histoire ou plutôt mener à terme son enquête et prévenir peut-être la destruction de la Terre ? Avec une imagination aussi fertile que la sienne, rien n'est impossible ! Comment faire pour retourner les colis sans attirer l'attention de madame Julie ou de madame Lucille ? À quel endroit peut-il les laisser sans qu'ils soient découverts par un autre élève ? Il ne veut pas être responsable de la mort d'une innocente victime à cause de son manque de courage.

Il choisit de poursuivre son enquête. Mais très discrètement, par contre. Il se sait épié de très près par les deux femmes. Il doit savoir ce que contiennent ces deux intrigantes boîtes. L'enquête n'ira nulle part s'il ne les ouvre pas. Il est maintenant évident qu'il existe un club clandestin formé de sept membres du personnel de l'école, mais il ignore sa raison d'être.

Maxime termine ses devoirs et ses leçons. Tout cela lui apparaît tellement futile maintenant. À quoi ça sert de faire des devoirs et des leçons quand notre vie ne tient qu'à un fil? Qu'est-ce que ça donnera de connaître les fractions et les décimales quand il cognera à la porte de Saint-Pierre pour entrer au paradis? Tout est tellement relatif parfois dans la vie. Un condamné à mort prend-il le temps de bien se brosser les dents et de se laver les mains avant de se faire exécuter sur la chaise électrique? Les victimes d'un tsunami s'inquiètent-elles que Saku Koivu n'ait pas compté de but au cours de ses seize dernières parties? Tout est tellement relatif.

Nerveusement, il sort les deux colis soigneusement cachés au fond de sa garde-robe. Il n'a jamais été aussi nerveux qu'en ce moment. Assurément, ce qu'il découvrira dans ces boîtes changera son destin. Il saisit le premier paquet et s'assoit doucement sur le bord de son lit. Comme il retire le papier d'emballage vert, la porte de sa chambre s'ouvre! Notre jeune héros sursaute tellement qu'il projette le paquet dans les airs, ce dernier retombant violemment contre le plancher flottant en imitation de bois de chêne. Son chien Timi pénètre calmement dans la chambre, comme il le fait habituellement quand une porte est entrouverte. Il se fout totalement du fait qu'il aurait pu déclencher l'explosion d'une bombe nucléaire!

Dans un élan de colère, Maxime empoigne son petit bichon maltais blanc par le chignon et le projette brusquement hors de la chambre, ferme la porte et la verrouille. La boîte s'est ouverte sous le choc… laissant tomber sur le plancher une petite pyramide de verre transparent bleuâtre avec un point blanc au milieu. Max s'empare du mystérieux objet et aperçoit un bout de papier jaune sous sa base. Il le décolle très minutieusement et lit le message inscrit :

Dans les toilettes des garçons
Les yeux au Ciel
Au-delà de tout soupçon
Tu trouveras le message providentiel.

Max Fouineur prend immédiatement la seconde boîte. Comme elle est identique à la première, il l'ouvre sans inquiétude. Il y trouve une autre pyramide laissant voir, sous sa base, un autre papier.

Avant jeudi midi, le 14,
À la salle des machines, tu te rendras.
Le nombre 149162536496481
Une fois décodé, tu comprendras.
Ainsi, au Royaume de Gecbidfa tu accéderas.

Maxime n'a jamais vu un chiffre aussi long dans son cours de mathématiques. Il est incapable de le dire. Qu'y a-t-il après les milliards ? Les millénaires ? Les billards ? Il doit absolument décoder ce chiffre avant jeudi midi, sinon le Maître réagira avec véhémence envers une de ses disciples. Maxime s'enferme dans sa chambre toute la soirée, à la surprise de ses parents. Ayant l'habitude d'appeler son ami Guillaume après le souper pour jouer une partie de Mario Party 7, il éveille la curiosité de ses parents en ne le faisant pas ce lundi soir. Vers six heures quarante-cinq, sa mère cogne à la porte.

— Maxime ?

— Oui ?

— Je peux entrer ?

— Une minute !

Maxime cache les pyramides dans son tiroir supérieur gauche, parmi la pile de caleçons. C'est bien le dernier endroit où sa mère fouillerait pour trouver quelque chose dans la chambre de son fils ! Il déverrouille la porte.

— Qu'est-ce que tu fais ? Tu n'appelles pas Guillaume ce soir ?

— Non, maman, je dois terminer mes études. J'ai un gros examen de mathématiques demain.

— Je peux t'aider ?

— Humm… Non, merci.

— Bon, d'accord, je te laisse étudier.

— Euh, maman?

— Oui, Maxime?

— Tu peux peut-être m'aider.

— Ah oui? Comment?

— Bien, après les milliards, c'est quoi?

— Euh… les billions, je crois.

— Après ça?

— Euh… je ne sais pas trop. Il faudrait que je demande à ton père. Chéri, tu peux descendre?

Quelques secondes plus tard, Stéphane apparaît sur le seuil de la porte.

— Oui?

— Maxime veut savoir quel est le chiffre qui vient après les billions…

— Hummm… bonne question… Je dirais, les cendrillons?

— Franchement!

— Bien quoi? Est-ce que je sais, moi? C'est plutôt rare que je parle de ces chiffres-là, tu sais! Il faudrait demander à Bill Gates ou aux scheiks d'Arabie qui possèdent des puits de pétrole. Eux, ils en ont de l'argent comme ça!

— Bien drôle, p'pa…

— Bien quoi, je ne peux rien répondre de plus intelligent!

— Pas fort comme père!

— Attends que je te fasse une clé de jambe en quatre, toi!

Maxime et son père luttent comme des forcenés, se donnant des coups de poing et des coups de pied imaginaires, feignant de s'étrangler mutuellement, la bouche et les yeux grands ouverts en signe d'effroi. Les deux s'amusent ainsi pendant quelques minutes et cela aide Maxime à relâcher un peu de pression. Cette pause imprévue lui permet de reprendre sa concentration pour trouver l'énigme de ce fameux chiffre mystère.

Malgré toute sa volonté, Max Fouineur ne parvient toujours pas à décoder le chiffre de la pyramide. Neuf heures moins dix. C'est l'heure de la collation et de se préparer pour le coucher. Max ne pourra étirer le temps encore bien longtemps, car ses parents lui rappelleront rapidement qu'il est temps d'aller au lit. Déçu de son incapacité à percer cette énigme, il se couche la mort dans l'âme. Il prie Jésus de lui donner l'énergie nécessaire pour se remettre à la tâche, demain. Le temps file…

Max Fouineur ne s'endort pas ce soir-là. Il retourne les chiffres dans sa tête et tente désespérément de décoder ce grand nombre. Il l'a tellement répété qu'il le connaît par cœur : 149162536496481.

En additionnant chacun des chiffres séparément, il arrive à la somme de 69; en les multipliant, il ne trouve pas la réponse, car sa calculatrice permet d'inscrire seulement huit chiffres! Il implore le ciel pour que ce soit une autre solution que celle-là.

CHAPITRE 15

*D*ans la salle des professeurs, le Club des Sept tient une importante réunion. Il faut une raison vraiment importante pour convaincre les membres de se présenter à dix heures du soir. Même s'ils travaillent tous le lendemain, personne n'a rechigné quand le Maître a imposé à Julie cette réunion extraordinaire. Son message était sans équivoque et Julie comprit rapidement l'urgence de la situation.

Toutes les personnes sont réunies, une pyramide de verre bleuâtre placée devant chacune d'elles. Julie tient nerveusement une feuille blanche entre ses mains et en relit silencieusement le contenu afin de bien livrer le message qui s'y trouve. Le ton est solennel et le climat est lourd. La situation est dramatique et cette rencontre risque de provoquer bien des tensions parmi les membres. Julie tapote nerveusement sur la table de son crayon de plomb pour demander l'attention.

— Chers membres, je vous ai convoqués pour cette réunion extraordinaire, car la situation est grave. Très grave, même. J'ai reçu ce soir, vers sept heures trente, ce courriel du Maître. C'est lui qui a ordonné que nous tenions cette réunion d'urgence et je vous remercie de vous être déplacés sans poser de questions. J'espère que cela n'a pas trop suscité de soupçons chez vos conjoints. Trêve d'introduction, je vous mets immédiatement au parfum. Je vais vous lire la lettre du Maître et vous ferez vos commentaires et poserez vos questions par la suite. Cela vous convient ?

Tous les membres acquiescent d'un signe de tête. Julie poursuit.

— Alors, je lis :

Membres du Club des Sept,

Je serai clair : la situation que nous vivons actuellement me déplaît énormément. Je vous ai choisis pour accomplir cette mission, car vous me sembliez les plus aptes à l'accomplir correctement, mais dans les circonstances actuelles, il m'apparaît de plus en plus évident que je me suis trompé quant à votre capacité d'y parvenir.

Comme vous, je subis d'énormes pressions actuellement de la part de mes supérieurs. Je ne peux vous dire qui ils sont, mais cela relève des plus hautes sphères de la société. En tant que lieutenant pour l'Amérique du

Nord, je ne peux échouer à cette mission. J'avais choisi une petite école de campagne du Québec pour réussir à duper les services de la Gendarmerie royale, de la CIA, d'Interpol et du KGB, mais il semble qu'ils ont vu venir le coup et qu'ils sont maintenant au courant de notre démarche. Nous ne pouvons échouer. Je ne peux pas échouer. Voilà pourquoi je vous donne jusqu'à jeudi soir, minuit, pour retrouver les deux indices perdus et éliminer l'ennemi qui contrecarre nos plans. Utilisez des moyens discrets, afin de ne pas éveiller les soupçons de la police.

Nous avions six jours pour mener cette mission à terme. Il en reste maintenant trois avant notre échéance, vendredi soir à minuit. Après cela, il sera trop tard. Vous comprendrez que si cette mission échoue, quelqu'un devra écoper, et ce ne sera pas moi. Ce n'est pas une menace, c'est une promesse.

Retrouvez ces deux indices, car si l'ennemi trouve le troisième et dernier indice avant nous, notre organisation sera démasquée et devra disparaître. Rappelez-vous le serment que vous avez prononcé quand vous avez accepté de faire partie de notre clan : je mets ma vie au service de mon Maître et j'accepte de lui remettre ma vie si jamais je le déçois.

Un silence morbide envahit la pièce. Chaque membre fixe sa pyramide sans mot dire. Suzanne pleure en silence, contenant difficilement ses émotions. Gilles est perdu dans ses pensées et se mordille les lèvres. Le visage de Diane est tellement rouge qu'il semble sur le point d'exploser. Catherine tremble de tous ses membres, prise d'une crise de panique. Lucie sourit doucement à la vue de ses collègues, comme pour apaiser la tension, mais son sourire masque maladroitement la peur qui l'habite. Julie relit le texte, hochant la tête en signe de dépit.

— Je le savais que c'était trop dangereux pour nous, crache Daniel en se levant de table.

— Tu savais dans quoi tu t'embarquais, Daniel, réplique Lucie.

— Tu nous avais dit qu'il n'y avait pas de danger, que ce n'était que pour nous assurer d'être sérieux dans notre choix, Lucie.

— J'étais sincère, Daniel. Jamais je n'aurais pensé que le Maître en viendrait là un jour. Je suis autant en danger que toi, après tout. Ne l'oublie pas.

— Je sais très bien comment tout cela va se terminer, tu peux me croire. Penses-tu vraiment que le Maître va se débarrasser de toi ? Tu es bien trop haut placée dans la hiérarchie. Il va encore avoir besoin de toi pour une autre mission. C'est toi qui recrutes les nouveaux membres, après tout…

— Sauf que cette fois-ci, le Maître a été bien clair : si cette mission échoue, notre organisation sera dévoilée au grand jour. Il n'y aura plus de mission en

Amérique du Nord pour un sacré bout de temps. Je vais probablement manger les pissenlits par la racine le jour où nous recevrons une nouvelle mission, alors à quoi je vais servir ? S'il y a une personne qui doit craindre pour sa vie parmi nous, c'est bien moi. C'est la deuxième mission qui échoue par ma faute, ne l'oublie pas.

— Personne ne va mourir ! hurle Lucille. Nous allons réussir cette mission, je vous le promets ! Je vais retrouver l'ennemi et l'éliminer, et nous pourrons mener cette mission à terme. Je possède une bonne piste et je vais mettre la main sur ce pourri qui essaie de nous nuire. Il va payer très cher d'avoir osé jouer dans notre cour.

— Lucille a raison, reprend Julie en redressant le torse, gonflée d'une nouvelle confiance à la suite de la déclaration de sa collègue. Nous devons nous retrousser les manches et montrer au Maître qu'il a eu raison de nous faire confiance. Nous n'avons pas des problèmes, mais des solutions. Je suis avec toi, Lucille.

Chaque membre appuie Julie dans sa profession de foi, excepté Daniel. Il quitte les lieux en grommelant quelque chose d'à peine perceptible. Julie le regarde partir en le défiant du regard, mais Daniel est trop en colère pour se préoccuper du désaccord de sa présidente.

CHAPITRE 16

*D*aniel entre dans sa chambre, son manteau encore sur le dos et ses souliers toujours dans les pieds. Habituellement, il les enlève quand il entre dans la maison.

— Réveille-toi, Johanne, nous partons!

— Quoi? Qu'est-ce que tu dis? marmonne sa conjointe, encore très endormie.

— On s'en va d'ici.

— Quoi? Qu'est-ce que tu me chantes là, toi?

— Ce n'est pas le temps de poser des questions! Le temps presse! Prends juste le nécessaire et ne laisse rien de personnel dans la maison. Il ne faut laisser aucun document contenant des informations sur toi ou sur moi.

— Je ne comprends pas ce que tu dis, Daniel.

— Dépêche-toi, Johanne! hurle Daniel, pourtant toujours très doux avec sa copine. Je t'ai dit de ne pas poser de questions et de m'obéir.

— Mais là, s'objecte la jeune femme, en commen-
çant à hausser le ton, je ne comprends absolument
rien à ton charabia, et il est onze heures du soir, en
plus… Tu arrives en trombe, tu me cries par la tête
et tu me dis de prendre toutes mes affaires en vitesse… Qu'est-ce qui se passe, ma foi du Bon Dieu?
Explique!

— Je n'ai pas le temps de t'expliquer, chérie. Nous
devons quitter le continent d'ici jeudi soir, sinon
nous courons de graves dangers.

— De graves dangers? Quels dangers? De quoi tu
parles, Daniel Paquette? Tu me fais peur! Qu'est-ce
que tu as fait?

— Dépêche-toi! Je t'ai dit que je ne peux pas t'en
parler maintenant. C'est une trop longue histoire. Je
te promets de tout te raconter dès que nous serons
rendus en Suisse.

— En Suisse? Pourquoi la Suisse? Tu m'as organisé
un voyage-surprise, c'est ça?

— Euh… en quelque sorte, oui, c'est ça. Mais je ne
peux pas t'en dire plus. Dépêche-toi, s'il te plaît, Johanne. J'ai appelé à l'aéroport Pierre-Elliott-Trudeau
et le prochain départ pour la Suisse est demain matin, à sept heures vingt-trois. Nous ne pouvons pas
le manquer, c'est extrêmement important.

— Nous partons pour deux semaines?

— Nous partons pour toujours.

— Pour toujours? Holà! Ce n'est plus un voyage-surprise, ça! Il n'en est pas question, Daniel! Et mon travail? Je dois avertir mon patron. Et ma famille? Mes amis et…

— Non! Tu n'appelles personne! coupe sèchement Daniel.

— Comment ça, je n'appelle personne? Est-ce que je peux faire ce que je veux ici? Il me semble que je suis majeure et vaccinée. Pourquoi tous ces ordres? Tu me fais peur, Daniel.

— Moi aussi j'ai peur, Johanne. Il faut partir au plus tôt. Notre vie en dépend, je te le jure.

axime commence la journée avec un cours d'éducation physique, sa matière préférée. Toutefois, son asthme lui donne régulièrement des difficultés, spécialement durant les trois minutes de jogging consacrées au réchauffement des muscles. Il préfère les étirements simples, mais monsieur Daniel croit fortement aux vertus du jogging comme source de réchauffement musculaire. Si jamais, un jour, Maxime devient professeur d'éducation physique, il utilisera une autre méthode en début de classe, par compassion pour les élèves ayant comme lui des problèmes respiratoires.

Maxime enfile un short rouge avec l'insigne de l'Avalanche du Colorado brodée sur la cuisse gauche, un t-shirt blanc avec le même logo sur le devant, des bas blancs usés à la corde mais tellement confortables, malgré leur odeur épouvantable et, finalement, des espadrilles noires aux rayures transversales rouges. Alors qu'il range ses vêtements dans son casier, une silhouette inhabituelle apparaît dans la porte.

— Monsieur Daniel est absent ce matin et comme il n'a pas averti madame Diane, c'est moi qui donne le cours d'éducation physique parce que je suis en disponibilité, explique sans grande conviction monsieur Sylvain, aussi enchanté qu'une flûte traversière dans un cortège de cymbales!

Son physique désolant ne correspond aucunement à celui d'une personne en bonne condition physique! De plus, ses doigts sont jaunis et son odeur effroyable de fumée de cigarette empeste les lieux en moins de dix secondes. Bref, il ressemble à tout, sauf à un athlète! Sa bedaine de bière est si grosse qu'une partie de peau déborde de son t-shirt bleu, tellement il est étiré!

Le suppléant de monsieur Daniel importe peu à Max Fouineur. L'absence de son professeur le préoccupe davantage, surtout qu'il n'a avisé personne, chose plutôt anormale dans les circonstances. Un professeur doit toujours avertir la secrétaire lorsqu'il doit s'absenter pour qu'elle puisse trouver un suppléant. Autant qu'il se souvienne, Max n'a jamais vu monsieur Daniel faire ça. C'est louche. Très louche.

— Monsieur Daniel est absent ce matin? Comment ça, qu'il ne vous a pas avertie? questionne Max, à la récréation, en passant devant le bureau de madame

Diane. Cela éveille les soupçons de la secrétaire : un élève ne vient jamais s'informer de cela auprès d'elle. Bien au contraire, les élèves sont souvent ravis quand monsieur Daniel doit s'absenter, car avec un professeur suppléant, c'est toujours plus facile de déconner! Monsieur Daniel impose une discipline tellement ferme dans ses cours que c'est toujours une joie pour les enfants de pouvoir se passer de lui pour une journée! À la suite de la visite de Maxime, Diane accourt vers le bureau de sa patronne.

— Lucie, un élève vient de me demander pourquoi Daniel était absent. C'est la première fois qu'un élève fait ça quand Daniel s'absente. Ai-je raison de trouver ça louche?

— En effet, c'est louche… Il faudrait en parler à Lucille. Qui est venu te demander cela?

— Maxime Lussier, de la classe à Julie.

— Maxime Lussier? Ce n'est pas lui qui avait interrompu notre réunion, l'autre jour?

— Oui, c'est lui.

— Il faut alerter Lucille au plus tôt. Ce jeune commence à m'énerver sérieusement. J'ai comme l'impression qu'il sait quelque chose.

— Je cours avertir Lucille.

— Madame Lucille est demandée en code vert à mon bureau. Madame Lucille, en code vert, à mon bureau, annonce Diane à l'interphone. Elle utilise le code d'urgence, connu uniquement des membres du Club des Sept, et en moins de quinze secondes, Lucille se pointe.

— Que se passe-t-il? demande-t-elle.

— Je crois que nous avons un suspect important, Lucille.

— Vraiment? Qui?

— Un élève de la classe de Julie.

— Maxime Lussier?

— Tu le connais?

— Pas beaucoup encore, mais il est sur ma liste.

— Il est venu s'informer sur l'absence de Daniel. C'est plutôt inhabituel de la part d'un élève…

— Je m'en occupe.

CHAPITRE 18

*D*ans son petit bureau désordonné, Bertrand Galley trace des lignes obliques, des lignes verticales, des lignes horizontales, des demi-cercles, des arcs de cercle et des hypoténuses. Avec sa calculatrice scientifique, il effectue une série de calculs dignes des plus grands mathématiciens de la planète. En fait, il en est un. Sous ses allures bourrues et décontractées, il possède un esprit scientifique exceptionnel. Il est le directeur du Département des sciences physiques et mathématiques de l'université de Genève, en Suisse, depuis maintenant plus de douze ans. Malgré son jeune âge, trente-neuf ans, il est connu mondialement pour ses recherches mathématiques sur les phénomènes inexpliqués de notre univers. Il se consacre depuis maintenant près de deux ans aux nombreux secrets dissimulés dans la célèbre pyramide de Chéops, en Égypte.

Ses plus récentes recherches révèlent une multitude d'informations scientifiques étonnantes sur la célèbre pyramide. Par exemple, il ne prononce jamais le nom « Chéops », cela étant une déformation de son véritable nom, « Kops », ou « Chops ». C'est le roi Hérodote, incapable de bien prononcer le nom réel de la pyramide lors d'un voyage en Égypte, cinq siècles avant Jésus-Christ, qui a commis cette bourde. Selon la légende, Hérodote comprenait mal le guide qui lui expliquait l'histoire de la pyramide, car il n'existe aucun nom « Chéops » dans l'histoire des rois égyptiens.

L'histoire de la période des pharaons Ramsès II à Ramsès XI raconte que plusieurs noms des fils de ces pharaons commencent par « Kops » ou « Keps ». Par exemple, le fils de Ramsès V s'appelait Amonher Kopshef I Ousermaatré et le fils de Ramsès VIII, Sether Kopshef Ousermaatré Akhenamon. Hérodote aurait transformé la prononciation du nom de ces personnes en les nommant « Chéops », soit un mélange bien naïf des sons « Keps » et « Kops ». Il est parfois étonnant de constater comment l'Histoire s'inspire de faits aussi insignifiants. Ces enfants de pharaons auraient été momifiés et placés dans différentes chambres de la pyramide, d'où le nom connu de tous.

Initialement, la plus grande pyramide d'Égypte devait servir de tombeau au roi Khoufou, selon les dires d'Hérodote, mais aucun registre des rois d'Égypte ne fait mention de ce nom. La légende raconte aussi que pendant la construction de la pyramide, un autre personnage important aurait quitté sa propre tombe et se serait introduit par effraction dans une des chambres, mais qu'il aurait été incapable d'en ressortir. Il se serait donc fait inhumer dans ce tombeau sans le vouloir vraiment.

Le nom de la célèbre pyramide égyptienne tiendrait donc son origine d'un roi grec en vacances ayant de sérieux problèmes de prononciation! Galley a beau essayer d'en convaincre ses collègues scientifiques, très peu le prennent au sérieux. Toutefois, cela est bien anodin en comparaison du secret qu'il s'apprête à révéler. Il le dévoilera uniquement quand il pourra prouver mathématiquement son hypothèse.

Voilà pourquoi il cherche avec tant d'acharnement la solution qui prouverait son terrible secret. Tout est pratiquement en place, mais il manque encore un morceau au puzzle. Grâce à la microgravimétrie, il a détecté quelque chose d'étrange dans la pyramide, fait confirmé par une équipe japonaise utilisant le même procédé. Reste seulement à le prouver scientifiquement. S'il pouvait trouver l'indice manquant...

Galley a déjà découvert le message secret de la pyramide. Cela est maintenant reconnu de tous les scientifiques. En faisant quelques calculs à partir de la pyramide, il arrive à 40 004 kilomètres, soit la mesure de la circonférence de la Terre! Par la suite, il comprit que la pyramide de Kops devait cacher bien d'autres informations du genre. Il avait vu juste.

CHAPITRE 19

*D*urant son retour à la maison, sur l'heure du dîner, Max Fouineur se sent surveillé, épié. Il s'en fout un peu au départ, mais cette auto noire d'un modèle assez récent l'intrigue de plus en plus. Peu connaisseur en véhicules automobiles, il ne peut l'identifier correctement. L'auto le suit de loin, mais pas suffisamment pour échapper à son attention.

— Maxime Lussier est demandé au bureau de la directrice, annonce madame Diane à l'interphone au début de la première période de l'après-midi. Il va de soi que cela rend notre jeune héros très nerveux. Tout cela a-t-il un lien avec le véhicule noir de ce midi? Ou encore avec la fois où il a écouté la discussion de Lucille et madame Julie dans l'escalier? Ou avec l'histoire des colis mystérieux? Plus il y pense, plus cette histoire sent mauvais…

Il entre dans le bureau de madame Lucie, mais à sa grande surprise, il n'y a personne. La pièce est vide et Max comprend rapidement qu'il s'agit d'un piège. Sa respiration devient de plus en plus bruyante : une crise d'asthme semble se pointer à l'horizon et il a malheureusement laissé ses pompes dans son pupitre.

Il reste immobile quelques secondes, scrutant du regard le grand bureau d'érable rouge de sa directrice. Il aperçoit une série de feuilles éparpillées ici et là sur le bureau, un porte-crayon en ivoire, quelques photos la montrant en compagnie d'un homme, probablement son conjoint. Une photo attire plus particulièrement son attention : madame Lucie devant une gigantesque pyramide, un drap bleu ciel enroulé autour de la taille. À ses côtés, un homme de très grande taille, son visage très basané se démarquant spectaculairement de la blancheur de son sari. Cet homme est différent de celui de l'autre photo, mais dans les deux cas, les hommes tiennent madame Lucie par la taille. Serait-elle bigame ? Si oui, pourquoi se marier avec un Québécois et un Égyptien ? Cela semble invraisemblable ! Voyage-t-elle en Égypte toutes les fins de semaine ? Son mari québécois le sait-il ? Et les enfants ? De quelle nationalité sont-ils ? Autant de questions auxquelles Max Fouineur ne peut répondre…

Max sursaute. Il est tellement concentré à découvrir la double personnalité de sa directrice qu'il n'a pas entendu les bruits de pas derrière lui. Il se retourne promptement et voit… madame Lucille qui entre seule dans le bureau!

— Nous avons des choses à nous dire, pas vrai, Maxime? entame la concierge en fermant la porte du bureau.

Notre pseudo-détective ne comprend plus rien. Qu'est-ce que madame Lucille vient faire dans le portrait? Madame Diane n'avait-elle pas mentionné que la directrice voulait le rencontrer? Alors, pourquoi est-ce la concierge qui s'assoit devant lui? Max réalise très rapidement que cette conversation sera peu amicale. Le visage de la robuste femme est sévère comme celui d'un médecin qui se préparerait à annoncer à son patient qu'il a une maladie incurable. Maxime a vu ce genre de visage dans une dizaine de films, alors il sait un peu à quoi s'attendre. Ce ne sera pas du gâteau.

— Assieds-toi.

— Ça va, je préfère rester debout.

— Assieds-toi, j'ai dit.

— D'accord… Comme vous voulez.

— C'est ce que je veux, en effet.

— Pourquoi ce n'est pas madame Lucie qui est ici?

— Mon garçon, c'est moi qui pose les questions ici.

— Euh… OK, j'ai compris.

— À la bonne heure. Écoute-moi bien, Maxime.

97

La conversation que nous allons avoir doit demeurer entre nous, tu comprends?

— Pas vraiment. Pourquoi je ne pourrais pas en parler?

— Encore une question! Décidément, tu as une tête de cochon! J'ai dit que c'était moi qui posais les questions ici, pas toi.

— Désolé.

— Quand tu es venu interrompre la réunion des professeurs, l'autre jour, as-tu remarqué quelque chose d'inhabituel?

— Dans le genre?

— Oui ou non?

— Non.

— Tu mens!

— Non!

— Si, tu mens! Je le sens, tes yeux ont fui quand tu as répondu.

— Non!

— Arrête d'essayer de nier, ça ne sera que plus difficile pour toi. Si tu dis la vérité, cet entretien ne durera pas plus de quinze minutes. Mais si tu veux essayer de jouer au plus fin avec moi, je peux te garder ici jusqu'à dix heures ce soir, et même plus!

— Vous ne pourrez pas, mes parents vont s'inquiéter.

— Madame la directrice s'occupera de les rassurer,

ne crains pas. Alors, tu as vu quelque chose d'inhabituel lors de cette réunion ?

— Oui.

— Qu'as-tu vu d'inhabituel ?

— Hummm… des pyramides. Oui, c'est ça, des pyramides.

— Bien observé. As-tu remarqué quelque chose de spécial concernant les pyramides ?

— Bien… Elles semblaient en verre bleu.

— Et c'est tout ?

— Oui, enfin je crois. Il y avait autre chose à remarquer ?

— C'est moi qui pose les questions !

— Désolé.

— Pourquoi t'es-tu informé de la raison de l'absence de ton professeur d'éducation physique ?

— Comment savez-vous ça ?

— Réponds !

— Bien… parce que je voulais savoir, c'est tout.

— Tu mens !

— Non !

— Si, tu mens. Ce n'est pas la première fois que monsieur Daniel manque une journée de travail, mais c'est la première fois que tu vas t'informer sur la raison de son absence. Qu'as-tu à répondre à cela ?

— Je n'avais pas remarqué que c'était la première fois.

— Je pense qu'il va falloir que madame la directrice fasse un appel à tes parents pour qu'ils ne s'inquiètent pas, si tu continues comme ça…

— Non! Je ne veux pas!

— Alors, pas de conneries, jeune homme. Je veux la vérité. Je ne suis pas pressée, tu sais. J'ai toute la nuit devant moi, s'il le faut. J'irai te reconduire chez tes parents, s'il est trop tard. Alors, on fait quoi?

— OK. Je vais dire la vérité.

— Alors?

— Bien, je trouvais ça étrange que monsieur Daniel s'absente sans aviser la secrétaire. Ce n'est pas son habitude et je me demandais si…

— Si?

— Je m'invente des histoires.

— Elles m'intéressent, tes histoires, Maxime. Raconte-moi tout.

— Bien, je me demandais s'il ne lui était pas arrivé un accident.

— Un accident? Quel genre d'accident croyais-tu qu'il avait eu?

— Je ne sais pas trop… une crise cardiaque, un accident de voiture, un meurtre, n'importe quoi…

— Un meurtre?

— Je vous l'ai dit, je m'invente des histoires.

— Hé, ce n'est pas rien de s'inventer qu'un de ses

professeurs s'est fait assassiner, tu sais! Crois-tu que la vie de monsieur Daniel est en danger?

— Je ne sais pas trop…

— Maxime…

— Bien, je trouve ça bizarre dans l'école depuis quelque temps. Monsieur Yvan est parti sans rien annoncer, et là, c'est monsieur Daniel qui part sans avertir. Ça m'inquiète, c'est tout. Et vous…

— Et moi? Qu'est-ce que j'ai, moi?

— Rien, rien… c'est juste que vous semblez toujours être de mauvaise humeur et vous n'arrêtez jamais de crier après les élèves, comme si nous étions dans l'armée.

— Tu n'aimes pas que je sois autoritaire?

— Non, vous faites peur aux élèves.

Lucille éclate de rire pendant de longues secondes et s'interrompt brusquement, approchant son visage à quelques centimètres de celui de Maxime.

— Et toi? Tu as peur de moi? Dis?

— Bien… un peu… comme tout le monde.

— Pas comme tout le monde, pas vrai, Maxime?

— Que voulez-vous dire?

— J'ai dit pas de questions! hurle-t-elle.

— Euh… euh…

— Tu as entendu notre conversation dans l'escalier, l'autre jour, pas vrai?

— Je… je…

— Dis-moi, Maxime, n'aurais-tu pas trouvé des colis un peu spéciaux dans l'école, ces derniers jours ?

— Je… je…

— Réponds !

Maxime est pris d'une violente crise d'asthme. Son teint blêmit et ses yeux s'agrandissent dangereusement, implorant une aide immédiate. Sa respiration siffle faiblement et son corps se contracte pour essayer de combattre. Il s'agit vraiment d'une crise majeure. Madame Lucille n'a d'autre choix que de se précipiter pour aller chercher les pompes de Maxime dans la classe de madame Julie. Elle ne le fait pas pour lui, elle le fait pour elle. Si jamais Maxime meurt d'asphyxie, les indices ne seront jamais découverts à temps et le Maître exécutera un de ses disciples. Ce pourrait bien être elle, si elle est reconnue coupable d'avoir torturé l'ennemi au point de le faire mourir avant qu'il ne puisse révéler où se trouvent les deux colis. Elle court de toutes ses forces, malgré sa mauvaise forme physique due au poids des années, pour sauver la vie de notre héros.

Quand elle revient dans le bureau, Maxime gît par terre devant sa chaise, inconscient. Prise de panique, Lucille signale le 9-1-1 pour que les ambulanciers viennent le réanimer avant qu'il ne soit trop tard. Comble de malheur, la cloche de la récréation sonnera dans environ cinq minutes. Tous les élèves de l'école s'attrouperont comme des moutons pour voir les ambulanciers essayer de réanimer leur camarade dans le bureau de la directrice. Pas de doute, il faut éviter cela. Elle vérifie le pouls de Maxime : il est faible. Les secours doivent arriver rapidement, car sa respiration est presque inexistante. Elle accourt vers le bureau de Diane en toute épouvante.

— Annonce que la récréation va être retardée d'une trentaine de minutes.

— Quoi ?

— Fais ce que je te dis, Diane ! Ne me demande pas pourquoi ! C'est une question de survie pour nous tous !

— D'accord, rétorque la secrétaire, prise de panique, en se dirigeant vers l'interphone. Votre attention, s'il vous plaît… La récréation sera retardée d'environ trente minutes.

Le timbre de sa voix trahit sa nervosité. Au loin, elle entend le mécontentement des élèves de son étage à la suite de cette frustrante annonce. Plusieurs titulaires la rappellent pour lui demander des explications, mais elle n'arrive pas à les satisfaire par ses réponses. Lucie arrive à sa rescousse.

— Lucille vient de m'avertir de la situation. C'est très grave, Diane. Laisse-moi adresser un message à tous.

Lucie s'approche de l'interphone et d'une main tremblotante, appuie sur le petit bras métallique qui se termine par un bout de plastique orange.

— Bonjour à tous, ici madame la directrice. Comme Diane vient de vous l'annoncer, j'ai décidé de retarder la récréation d'une trentaine de minutes, car nous avons une urgence à régler dans le système de ventilation de l'école. Madame Lucille veille à ce que tout soit réparé dans les plus brefs délais, soyez-en assurés. Pour vous remercier de votre grande patience et de votre compréhension, je vous annonce qu'aussitôt que la situation sera réglée, le reste de l'après-midi sera en récréation.

Cette fois-ci, cette nouvelle engendre une immense satisfaction chez les élèves. Quelques professeurs sonnent pour obtenir des explications, mais Lucie leur répond que le temps perdu en classe leur sera remis en temps de congé, tempérant ainsi la tension provoquée par cette cohue.

Les ambulanciers arrivent peu après. Par de nombreuses manœuvres, ils parviennent à réanimer le pauvre garçon, mais il est très affaibli par cette crise et c'est sans grande surprise qu'on les voit l'emmener à l'hôpital pour le garder en observation. Comme les ambulanciers le déposent sur la civière roulante, Lucille demande à être seule avec Maxime pendant quelques secondes. Les ambulanciers acceptent cette requête, s'imaginant que la dame en question est une parente ou une amie très proche de la famille.

— Maxime, si jamais tu parles de notre conversation à qui que ce soit, tu ne reverras plus jamais tes parents…, lui murmure-t-elle à l'oreille avant de l'embrasser tendrement sur la joue. C'est bien, vous pouvez l'emmener maintenant, j'ai terminé. Bonne chance, Maxime! Je vais te rendre une petite visite ce soir.

CHAPITRE 20

Dans l'avion les menant à Fribourg, Daniel et Johanne ressentent des émotions totalement opposées : Johanne s'inquiète de plus en plus de l'étrange conduite de son conjoint. Elle en ignore toujours la raison et attend impatiemment qu'il passe aux aveux. Daniel a promis de tout lui expliquer quand ils arriveront à destination, craignant que des oreilles indiscrètes puissent entendre son histoire. Plus le temps passe, plus elle devient nerveuse et angoissée. A-t-il commis un meurtre? A-t-il été menacé de meurtre? Pourquoi? Il est tellement doux habituellement, même s'il lui arrive à l'occasion de péter les plombs en présence de personnes incompétentes. Pour le reste, c'est un homme agréable à côtoyer, quoiqu'il soit un peu trop maniaque du conditionnement physique à son goût. Cela occasionne parfois des disputes entre eux. Il la néglige régulièrement pour aller s'entraîner seul, faire du jogging ou du vélo, et cela la rend souvent irritable.

Au début de leur relation, elle l'encourageait à s'entraîner, croyant elle aussi aux bienfaits de la santé physique sur la santé mentale. Cependant, elle se sentait souvent comme le deuxième violon et cela s'était mis à la déranger de plus en plus. Il était incapable d'arrêter de s'entraîner et il avait fallu une très longue discussion avant de trouver un compromis. Pour le reste, rien. Toujours de bonne humeur et très attentionné. Comme elle a pleinement confiance en lui, la jolie brunette accepte d'attendre le moment propice pour le questionner.

De son côté, Daniel se sent de plus en plus soulagé et détendu, mais pas assez pour s'ouvrir à Johanne. Afin de se sécuriser, il vérifie si aucun micro n'est caché sous son siège ou encore sur le chemisier des hôtesses de l'air. Plus le temps passe, plus il est convaincu d'avoir pris la bonne décision. Il se surprend même à siffloter un air léger durant le trajet. Bon signe. Toutefois, il cesse immédiatement, car cela irrite sa conjointe. Il sait qu'elle meurt d'envie de lui poser des centaines de questions, mais il lui a fait promettre d'attendre qu'ils soient arrivés à l'hôtel avant de tout lui raconter.

Daniel pense continuellement à Maxime. Il se trouve lâche de l'avoir abandonné parmi cette bande de requins affamés qui n'hésiteront pas un instant à le tuer, si cela permet d'accomplir la mission du Maître.

Daniel n'aurait jamais cru que cette histoire prendrait des allures aussi dramatiques et terrifiantes. Jamais. Il s'était joint au Club des Sept à la demande de Suzanne. Il n'aurait jamais cru que cette mission était d'une importance si capitale. Pour lui, tout cela représentait un jeu, une petite fantaisie pour mettre un peu de piquant dans sa vie monotone. Passant beaucoup de temps à s'entraîner chaque semaine, il voulait vivre une nouvelle expérience, lui qui raffole de l'aventure et de l'imprévu.

Sur le point de fermer les yeux, mort de fatigue et plus détendu, Daniel n'aperçoit pas l'hôtesse de l'air, une très jolie femme aux yeux verts hallucinants.

— Votre vodka et jus d'orange, monsieur.

— Vous faites erreur, madame. Je n'ai jamais commandé cela.

— C'est de la part de ce monsieur.

L'hôtesse pointe une personne à quelques sièges derrière lui. Daniel redevient tout nerveux. Doit-il regarder qui lui envoie ce verre? Seraient-ils dans l'avion? Comment ont-ils pu savoir? Il y a tellement de destinations, comment peuvent-ils être tombés sur la bonne? Qui a pu les informer? Daniel prend le risque. Il se retourne et aperçoit un homme à la peau brune et au sourire éclatant tellement ses dents sont blanches. Il ne connaît pas cet homme. Il ne l'a jamais vu. Nerveusement, il se retourne. Des gouttes de sueur perlent sur ses joues. Son cœur bat très vite et ses paumes deviennent humides. Sans perdre une seconde, il sort un crayon et un bout de papier et griffonne maladroitement quelques mots.

— Si jamais il m'arrive quelque chose, rejoins ces deux personnes, Johanne.

— Quoi? Qu'est-ce que tu me racontes là?

— Moins fort, s'il te plaît! Prends le papier et ne le montre à personne s'il m'arrive quelque chose. Jure-le-moi.

— Mais je..

— Jure-le! Ta vie en dépend.

— Quoi? Ma vie? Dans quoi m'as-tu embarquée, ma foi du Bon Dieu, Daniel?

— Fais ce que je te dis. Je t'aime.

Ne voyant aucune issue et voulant épargner la vie de sa tendre moitié, Daniel saisit le verre d'alcool et l'ingurgite d'un trait. Puis, il se cale confortablement dans son siège, attendant que l'effet du poison l'engourdisse à jamais. Il s'endort instantanément pour ne jamais plus se réveiller.

CHAPITRE 21

Étendu sur une civière dans une salle de surveillance de l'hôpital Sainte-Croix, Maxime se demande comment il trouvera le moyen de tuer le temps. Il va beaucoup mieux, mais il doit demeurer encore quelques heures à l'hôpital, par précaution. Quel ennui! Rien au monde n'est plus déprimant à ses yeux qu'être patient dans un hôpital. Comme le dit souvent son père : l'hôpital est la pire place pour guérir, parce que c'est toujours plein de malades! Maxime est déjà allé à l'hôpital à l'âge de six ans, pour une grosse grippe qui s'était transformée en pneumonie. Il se rappelle très bien ce triste épisode de sa vie. Chaque fois qu'il toussait, il avait l'impression qu'un poignard s'enfonçait dans ses côtes. Depuis ce temps, il prend toujours ses pompes pour l'asthme, sa maladie ayant affaibli considérablement ses poumons et ses bronches.

Un spectacle désolant s'offre à lui : dans la salle, il doit bien y avoir huit ou dix patients, mais il ne peut tous les voir, car la pièce est en forme de L. Un seul drap blanc — aussi bien dire rien — recouvre les patients. À part lui, presque tous sont très âgés. L'homme immédiatement à sa gauche semble plus jeune, selon le timbre de sa voix, mais ce n'est pas plus reposant. Parlant continuellement avec les infirmières pour s'attirer un peu d'attention, il relate la mésaventure qui l'a conduit à l'hôpital à toute oreille attentive : il s'était effondré au beau milieu de la chaussée, en pleine heure de pointe, absolument incapable de marcher. Pour Maxime, il s'agit simplement d'un pauvre homme qui s'est inventé un prétexte pour qu'on s'occupe de lui.

Notre héros se demande s'il passera d'autres tests. Il en a déjà effectué trois en trois heures et tout semble être revenu à la normale. Il a même dû inhaler de la nitroglycérine pour dilater ses poumons ! Cela l'inquiète grandement. Il sait ce qu'est la nitro. Va-t-il exploser au premier éternuement ? Il le craint. Si quelqu'un fume près de lui, va-t-il sauter ? Sans aucun doute !

Maxime panique tellement, perdu dans ses pensées paranoïaques, qu'il n'aperçoit même pas la personne à ses côtés ! Il sursaute en voyant Lucille ; en partie à cause de l'effet de surprise, mais principalement parce qu'il a peur.

— Que faites-vous ici ?

— Tu ne croyais tout de même pas que je te laisserais tout seul ici toute la soirée, hein ?

— Je… je… ça va aller, vous pouvez partir.

— Bien voyons, Maxime ! Ça ne se fait pas de laisser un enfant tout seul à l'hôpital. Madame Lucie m'a demandé de venir veiller sur toi.

— Ce ne sera pas nécessaire. Mes parents devraient arriver d'une minute à l'autre.

— J'ai reçu l'ordre de veiller sur toi, Maxime. Je ne veux pas décevoir madame la directrice. Elle a eu tellement peur, si tu savais… Et là, comment vas-tu ? As-tu encore de la difficulté à respirer ?

— J'ai passé quelques tests depuis mon arrivée, mais le docteur semble dire que tout va bien et qu'il n'y aura pas de conséquence grave à ma crise.

— C'est une excellente nouvelle, ça ! Madame Lucie va être très heureuse d'apprendre ça.

Les parents de Maxime arrivent au chevet de leur fils. Lucille leur explique la raison de sa présence, puis demeure par la suite silencieuse tout le long de la période des visites, créant un malaise très profond. Les parents de Maxime tolèrent cette situation, même si cela les importune énormément. Après deux longues heures, le docteur arrive finalement et avise qu'il gardera le jeune malade en observation pour la nuit. Si tout se passe bien, il obtiendra son congé le lendemain matin et pourra retourner à l'école. Les parents de Maxime acceptent le diagnostic du médecin avec résignation. L'heure des visites se termine au même moment. Ils embrassent leur fils sur le front et le quittent, suivis de Lucille, qui le salue d'un petit sourire inquiétant.

Maxime ne s'endort pas. Il est nerveux de retourner à l'école le lendemain et d'affronter à nouveau Lucille. Elle sait qu'il est au courant de leurs activités clandestines. Aussi, presque tous les patients de la pièce ronflent comme des tracteurs de ferme ou toussent comme des malades! Bonne nouvelle, l'homme d'à côté est parti. Heureusement! Toutefois, une vieille femme a pris sa place et elle se plaint sans arrêt de douloureuses crampes intestinales, lâchant régulièrement de longs et très bruyants gaz! Maxime la soupçonne de manger des œufs pourris trois fois par jour, en cachette! Avec des rôties de pain moisi!

Sur le point de s'endormir, Maxime entend des bruits de pas suspects dans le couloir. Il reconnaît ces pas : ce sont ceux de Lucille. Il en est persuadé. Pris de panique, il cherche un objet près de lui pour se défendre. La seule chose qu'il trouve est le pichet d'eau froide sur la petite table à sa droite. Il tente tant bien que mal de saisir le petit bouton pour alerter les infirmières, mais ce dernier est coincé dans la structure du lit et la noirceur l'empêche de le déprendre.

Le cœur de Maxime palpite, ses lèvres sont froides et sèches, la salive se fait de plus en plus rare dans sa bouche. Assurément, Lucille est venue pour le tuer ou le torturer. Elle sait qu'il a les deux colis en sa possession. C'est évident pour Max Fouineur. Il constitue un obstacle pour le Club des Sept et il doit être éliminé. Les bruits de pas s'intensifient. Lucille se trouve à environ cinq ou six mètres, selon son estimation. Soudain, les pas s'arrêtent. Plus rien. Ne restent plus que le bruit des ronflements et les flatulences dégoûtantes de la vieille femme d'à côté! Max retient sa respiration. Son cœur veut sortir de son corps : il tremble de tous ses membres et il a de plus en plus froid. Il tient fermement le pichet, prêt à lancer l'eau glacée sur sa victime pour faire diversion et déguerpir à toute vitesse. Mais où aller après? Il ira droit devant en criant à tue-tête. Cela attirera, l'espère-t-il, l'attention d'un membre du personnel de l'hôpital.

D'un bruit sec, son rideau s'ouvre! La méchante a enlevé ses souliers pour ne pas se faire entendre. Le réflexe de Max se déclenche aussitôt : il jette l'eau glacée sur l'intruse, qui lâche un cri très aigu, totalement surprise de recevoir une telle rasade.

— Qu'est-ce qui te prend, petit maudit?

— Hein? Quoi? Ce n'est pas la voix de madame Lucille, ça! Qui êtes-vous? Que me voulez-vous?

— Je suis l'infirmière de nuit! Je venais pour voir

si tout allait bien, mais je vais laisser faire à la prochaine tournée, je te jure! Regarde, je suis toute mouillée à cause de toi! Je n'ai même pas de costume de rechange en plus! Qui pensais-tu que c'était? Un vampire? Arrête de regarder la télévision! Tu peux me croire, tes parents vont payer si jamais tu as taché mon uniforme.

— Je suis vraiment désolé, madame. Vraiment. Pour votre uniforme, ce n'est que de l'eau, il n'y aura aucun dommage. Vous avez sans doute raison, je dois trop regarder la télévision.

Le mercredi, Max arrive à l'école seulement après le dîner. Ayant reçu son congé de l'hôpital vers neuf heures trente le matin, ses parents ont jugé sage de lui laisser l'avant-midi pour se remettre de ses émotions. Comme leur fils se sentait très bien, les parents de notre jeune héros étaient moins hésitants à le laisser récupérer tout seul à la maison. Ils auraient aimé demeurer avec lui, mais c'était un peu difficile car ils travaillaient tous les deux à l'extérieur. Maxime a tout de même pu profiter de deux bonnes heures pour déchiffrer le fameux code du second message. Comme le temps pressait, il se mit à la tâche dès que ses parents quittèrent la maison.

Après un effort soutenu de plus de quatre-vingt-dix minutes, Max abdiqua. Rien ne cliquait dans sa tête. Il avait eu beau manipuler les chiffres, les placer dans différents ordres logiques et illogiques, aucune lumière ne s'était allumée dans son cerveau. Exténué et déçu, Max Fouineur se donna un peu de répit, pensant que cette pause lui permettrait de voir les choses sous un jour nouveau. Il tentait de chasser tous ces chiffres de ses pensées : rien à faire. Ils virevoltaient sans cesse dans son esprit durant l'heure du dîner.

Un cours de géographie. Max Fouineur a bien besoin de ça! Quelle platitude et surtout, quelle perte de temps! Toutefois, chaque mauvaise chose ayant un bon côté, il peut aisément réfléchir à son énigme. Comme la majorité des élèves de la classe, il n'écoute pas madame Julie. Guillaume Lepage joue avec sa règle, Axelle Valois lit son livre de Harry Potter en cachette, Stéphanie Forest dessine le visage d'un personnage qu'elle a inventé en début d'année et Samuel Poirier se décrotte le nez!

Maxime, lui, gribouille une multitude de chiffres sur son bloc-notes Alouette, trace des lignes, fait des associations et mille et un calculs de probabilités avec les nombres. Rien. Aucun « EURÊKA! » n'apparaît en grosses lettres au-dessus de sa tête. Le découragement le gagne de plus en plus. Madame Lucille réapparaîtra bientôt dans le décor et Dieu sait quels moyens de torture elle utilisera pour le faire parler, cette fois-ci. Pourrait-elle découvrir le mystère du message codé sans lui? La réponse est non. Après tout, si lui, un « bollé » en mathématiques, est incapable de résoudre ce problème, comment une vulgaire concierge pourrait-elle y parvenir! Maxime se sent soudain pris de remords. Il trouve honteux de juger l'intelligence d'une personne selon son travail. Ce jugement est gratuit et sans fondement.

Revenant sur terre, Max reprend le fil de l'explication de son professeur. Elle parle des problèmes démographiques de l'Afrique et de l'Asie, affirmant qu'à ce rythme, les populations de ces continents deviendront de plus en plus imposantes. D'où l'importance d'avoir un bon régime d'immigration pour les accueillir convenablement au Québec, où le taux de natalité est l'un des plus faibles dans le monde. Du vrai chinois! Du chinois endormant à mourir en plus!

— En fait, si la Chine continue de se peupler de la sorte, on pourra bientôt y compter dix Chinois par mètre carré! blague madame Julie, qui est pratiquement la seule à rire.

Maxime ne rit pas plus la blague que ses camarades de classe, mais sa réaction est aussi imprévisible qu'étrange : il écarquille les yeux, puis devient tout fébrile. Et si c'était la clé du message codé? Nerveusement, il regarde la série de chiffres et au bout de quelques secondes, il hurle :

— Yesss! Je l'ai trouvé!

Évidemment, il attire tous les yeux vers lui, son teint pâle habituel se changeant instantanément en celui d'une belle tomate écarlate! Maxime sourit idiotement pour détendre l'atmosphère, mais il est trop tard. Il explique maladroitement qu'il vient de comprendre le principe de la démographie, mais il ne convainc personne. Encore moins madame Julie. Cette dernière s'approche de son pupitre et aperçoit le papier gribouillé de chiffres. Elle le saisit vigoureusement, le regarde attentivement pendant de longues secondes et le déchire.

— Ce n'est pas le temps de faire des mathématiques, Maxime. Je te donne une infraction, car tu n'étais pas à ton affaire.

Maxime est soulagé de ne recevoir qu'une banale infraction pour son geste. Si elle avait découvert le sens réel de ce papier jaune, elle aurait envoyé Maxime immédiatement chez la directrice. Dieu sait ce qui se serait passé par la suite. Maxime, lui, n'ose l'imaginer. Quelques secondes plus tard, le temps d'écrire le billet d'infraction, madame Julie poursuit son cours de géographie. Max Fouineur en profite pour prendre une nouvelle feuille et continue sa recherche. Il réécrit : 149162536496481 et vérifie son hypothèse. « Eurêka ! » Il replace les chiffres en utilisant les racines carrées et arrive à la conclusion suivante : 1 x 1 = 1, 2 x 2 = 4, 3 x 3 = 9, 4 x 4 = 16, 5 x 5 = 25, 6 x 6 = 36, 7 x 7 = 49, 8 x 8 = 64, 9 x 9 = 81.

Le message codé serait donc : 123456789, salle des machines.

CHAPITRE 23

À la fin de la journée, Lucille rencontre Julie dans le petit local de produits nettoyants de l'école, près de l'escalier principal. Une très forte odeur d'ammoniac empeste la pièce, donnant un violent mal de tête à Julie, qui supporte très mal ces odeurs chimiques.

— Comment était Maxime aujourd'hui?

— Bien, je dirais.

— As-tu remarqué quelque chose de particulier à son sujet?

— Pas vraiment. Il n'écoutait pas durant le cours de géographie, mais il n'était pas le seul.

— C'est tout? Rien d'autre n'a attiré ton attention?

Cette dernière question intrigue Julie. Pourquoi lui poser cette question puisqu'elle vient de dire qu'elle n'a rien remarqué? À ce moment, l'enseignante sent une chaleur l'envahir et son pouls augmente. Lucille l'a espionnée. Elle en est convaincue. Mais pourquoi? Sur l'ordre de qui? N'est-elle pas la présidente ? C'est elle qui donne les ordres, habituellement. Y aurait-il une conspiration contre elle au sein du Club ? Elle a le goût de réagir violemment à cette idée, mais elle garde le contrôle de ses émotions.

— Euh… laisse-moi réfléchir… ah oui ! À un certain moment, il s'est écrié en classe qu'il avait trouvé. Je lui ai demandé ce qu'il avait trouvé et il a balbutié qu'il venait de comprendre le sens du mot démographie, mais il a probablement menti, car il faisait des mathématiques à la place. Je lui ai donné une infraction.

— OK… il faisait des mathématiques… Et tu as vu ce qu'il faisait ? Je veux dire, sur sa feuille ?

— Bien… oui, en vitesse… Il avait écrit des chiffres un peu partout sur un bout de papier avec des calculs… rien de bien important.

— Rien de bien important ? explose Lucille. Nous avons perdu les deux indices du Maître, Maxime semble être au courant de l'existence de notre club et toi, tu penses que ce qu'il a écrit sur sa feuille n'est pas important ? Allume, Julie ! Tu viens de dire qu'il s'est écrié qu'il avait trouvé quelque chose et qu'il griffonnait des chiffres sur une feuille.

— Tu penses que cela a un lien avec les indices ?

Lucille sort une feuille froissée et déchirée de sa poche de pantalon, qu'elle a recollée adroitement à l'aide de ruban adhésif transparent. Elle la montre à Julie, qui devient subitement blême. Son sang se glace dans ses veines : Lucille l'a bel et bien espionnée durant sa classe. Julie réalise à ce moment qu'elle n'est plus la personne de confiance du Maître. C'est de très mauvais augure pour elle. Dorénavant, sa vie est en danger. Si la mission échouait, le Maître aurait plusieurs bonnes raisons de l'éliminer : Yvan, celui qu'elle a nommé responsable des indices, a échoué à son mandat; Daniel s'est enfui sans problème; elle a aussi oublié des réunions convoquées par le Maître et été incapable de découvrir l'ennemi alors qu'il se trouvait dans sa classe. Réfléchissant à tout cela, sa respiration s'intensifie et le bout de ses doigts devient glacé. La peur la gagne.

— Je ne pense pas, j'en suis convaincue! Je tiens l'ennemi, Julie. Je m'occupe de lui, dès demain matin.

— Maxime Lussier, l'ennemi? Je ne peux le croire! S'il te plaît, vas-y mollo avec lui, Lucille. N'oublie pas que c'est juste un petit garçon de douze ans.

— Ce n'est plus un petit garçon de douze ans, Julie. Ma pauvre fille! Tu es bien trop émotive dans ce dossier, si tu veux mon avis. En tant que présidente du Club des Sept, tu dois exécuter les ordres du Maître. Nous devons éliminer l'ennemi, ne l'oublie pas. J'ai amassé suffisamment d'indices pour pouvoir affirmer que notre ennemi se nomme Maxime Lussier. Le temps presse, Julie. C'est lui ou c'est nous.

— Tu as sans doute raison, Lucille. Fais ce que tu dois faire. Mais si je peux me permettre, ne le torture pas trop une fois qu'il aura parlé, d'accord? Je me suis attachée à ce garçon et j'aimerais que sa mort soit rapide et sans trop de souffrance. Peux-tu m'accorder cette faveur?

— Sacrée Julie! Une vraie mère poule! Bon, c'est d'accord. Il ne souffrira pas longtemps, je te le promets.

— Merci. Et que Dieu te donne raison.

CHAPITRE 24

Le jeudi matin, Max Fouineur arrive volontairement en retard à l'école. Cela sème littéralement la panique chez la direction, et aussi chez Lucille. Sans Maxime, impossible de trouver les colis manquants. Cela prouve hors de tout doute qu'il connaît leur organisation et qu'il est conscient du danger qui le guette. Lorsque Julie s'aperçoit de l'absence de son élève, elle panique, réaction inhabituelle pour un événement aussi banal.

— Qu... quelqu'un a vu Maxime Lussier ce matin ? demande-t-elle, la voix tremblotante et le teint blême.

— Non, je ne l'ai pas vu, madame Julie, répondent à l'unisson les élèves, à l'exception de Michaël Girard, toujours aussi lunatique !

— Il n'était pas dans l'autobus ce matin non plus ? continue-t-elle, de plus en plus nerveuse.

— Non, madame Julie, il n'était pas dans l'autobus,

répond Roxanne Savoie, toujours la première à prendre la parole.

— D'accord, je vais aviser madame Diane.

Au bord des larmes, elle sort de la classe en courant et se dirige vers le bureau de la secrétaire. Son souffle est court et ses jambes sont tellement molles qu'elle craint de s'évanouir d'un instant à l'autre.

— Diane! Maxime Lussier est absent! pleurniche-t-elle, paniquée.

— Eh bien! comme si nous avions besoin de cela! J'appelle immédiatement à la maison.

Diane et Julie attendent impatiemment, mais personne ne répond à la maison de Maxime. Ses parents quittent toujours le domicile familial vers sept heures trente le matin, puis Maxime quitte peu après pour prendre l'autobus. Ou bien Maxime refuse de répondre, connaissant fort bien la provenance de l'appel, ou bien il s'est sauvé avec les indices pour empêcher le Club de Sept d'accomplir sa mission. Les deux femmes se demandent où il peut bien être. Lucille part aussitôt à sa recherche : il faut le retrouver coûte que coûte. La situation est extrêmement grave.

Son manteau de printemps noir sur le dos, la robuste femme file à toute vitesse vers sa Pontiac Grand-Am verte. De sa cachette, derrière le conteneur à recyclage de l'école, Max Fouineur la regarde s'éloigner avec un grand soupir de soulagement. Il dispose maintenant d'un peu de temps pour découvrir le troisième indice dans la salle des machines.

Très silencieusement, il pénètre dans l'école en passant par la porte ouest, la plus éloignée du bureau de la direction de l'école. Il s'accroupit et longe le couloir pour éviter d'être vu par les fenêtres des portes de classes. Arrivant à la salle des dîneurs, il aperçoit une jeune fille qui se dirige directement vers lui à toute vitesse. Comment réagir ? Doit-il l'assommer pour éliminer un témoin gênant ou l'ignorer ? Il doit décider rapidement, car l'ennemie arrive en trombe. Se tenant le bas-ventre à deux mains, la fillette semble cependant avoir une priorité beaucoup plus importante que de savoir ce qu'un élève de sixième année fait dans le corridor ! Max feint de l'ignorer en regardant les affiches sur le mur. La gamine se dirige directement vers la salle de bain, mais quelques gouttes d'urine s'échappent de son collant beige et tracent une ligne sur le terrazzo. Ne comptez surtout pas sur Max Fouineur pour aller lui prêter main-forte !

Notre jeune héros arrive devant la porte grise de la salle des machines. Elle est évidemment verrouillée. Le contraire aurait été vraiment génial, mais il s'y attendait. Il avait prévu le coup. Il sort de sa poche de pantalon une clé maîtresse, volée à monsieur Daniel, lundi. Ce dernier laisse souvent traîner son trousseau de clés sur son petit bureau et comme Max Fouineur s'attendait à avoir besoin d'une clé maîtresse éventuellement, il la lui avait « empruntée temporairement ». Toutefois, il s'était promis de la lui remettre lorsque tout serait terminé. Quel honnête garçon! Utilisant rarement cette clé, monsieur Daniel ne s'était aperçu de rien. Mais comme il n'était dorénavant plus de ce monde, cela devenait le moindre de ses soucis.

La chaleur est suffocante dans la chambre des machines. Situation normale, car la petite pièce en contient plusieurs et elles fonctionnent toutes à pleine vapeur. Max Fouineur doit se dépêcher, car il tolère très difficilement la chaleur. La température doit bien osciller autour de quarante-cinq degrés Celsius et l'humidité est accablante. La faible lumière nuit considérablement à ses efforts et, en plus, il a oublié d'apporter une lampe de poche. Il s'efforce de lire les écritures, mais y arrive péniblement. Il cherche sa série de chiffres, mais ignore totalement où les trouver.

La chaleur devient de plus en plus écrasante. Max Fouineur ne pourra demeurer à l'intérieur de la pièce plus de cinq minutes. Cela lui laisse très peu de temps. Comme il ne peut entrer et sortir indéfiniment sans risquer d'attirer l'attention, il met les bouchées doubles et fouille partout dans la pièce. Rien. Aucun chiffre visible, pas plus derrière les machines que sous les tablettes. Le temps presse. Sa respiration devient de plus en plus haletante. Il cherche encore pendant trente secondes. Toujours rien. Le découragement le gagne. S'il persiste ainsi, il s'évanouira et sera probablement découvert sans vie le jour où quelqu'un viendra dans cette pièce. En principe, personne n'y va, à moins d'un bris de machine, mais comme elles brisent rarement…

Max Fouineur se donne une dernière minute. Toujours rien. Frustré, il botte une boîte métallique située tout près de lui et se blesse les orteils. Il hurle de douleur et engueule la robuste boîte. Soudain, elle attire son attention : elle est munie d'un cadenas à neuf chiffres. Habituellement, les cadenas ont des combinaisons de trois ou quatre chiffres, mais celui-là est différent. Pas de doute, la clé de l'énigme se trouve là.

Le temps presse. Sa respiration est très difficile. Il va prendre une bouffée d'air frais et revient immédiatement sur les lieux. Il sue abondamment et faiblit rapidement. Notre jeune héros fait de remarquables efforts pour garder sa concentration. Logiquement, il n'aurait qu'à placer les chiffres en ordre et le cadenas s'ouvrirait, mais ce serait trop facile. Il doit trouver la position des chiffres 1 à 9 pour le déverrouiller. Mais comment faire? Ses forces l'abandonnent…

Max Fouineur n'a pas le choix. Il doit sortir de la chambre des machines avec cette boîte métallique, sinon il y laissera sa peau. Heureusement, la boîte est assez légère, mais difficile à dissimuler, par contre. Doucement, il ouvre la porte : personne à l'horizon. Il lui faut maintenant trouver un endroit où cacher la boîte ou encore où se cacher lui-même. Quelle solution est la plus simple?

Avec sa clé maîtresse, il peut entrer pratiquement partout dans l'école. Le seul endroit où il ne peut pas entrer est le bureau de la direction, mais c'est bien le dernier endroit où Max Fouineur voudrait se cacher! Il doit trouver bientôt, sinon quelqu'un le remarquera. Le lieu le plus sûr est la salle des machines, mais comme la chaleur est suffocante, il ne pourrait y demeurer plus de cinq minutes. Cela lui laisse bien peu de temps pour trouver une combinaison de neuf chiffres. Une chance sur 387 420 000! Heureusement, Max Fouineur ignore ce fait!

Le local de musique est fermé et comme monsieur Sylvain enseigne dans son autre école aujourd'hui, voilà l'endroit idéal pour notre héros. Ce local étant insonorisé et les stores des fenêtres étant baissés, Max Fouineur dispose de toute la tranquillité nécessaire pour trouver la combinaison gagnante. Gagnante de quoi, au juste ? Il l'ignore complètement.

Le jeune étudiant ressent une étrange sensation de bien-être : il est à l'école, mais personne ne le sait ! Quel beau sentiment de liberté ! L'endroit est calme et il apprécie grandement ce moment, malgré la forte pression qu'il ressent, sachant qu'il doit trouver la combinaison du cadenas le plus vite possible.

Après une vingtaine de tentatives infructueuses, notre détective réalise la quantité astronomique de possibilités de combinaisons. Avec trois chiffres, la combinaison varierait entre 000 et 999 et il l'aurait trouvée à force de persévérance. Mais la situation actuelle est fort différente. S'il continue à tâtons, comme il le fait depuis le début, il lui faudra bien dix ans avant de tomber sur la bonne combinaison ! Max ressent alors une pression dans la poitrine. Il ne trouvera jamais la combinaison s'il continue ainsi. Il doit utiliser son sixième sens : l'intuition.

Comment un être machiavélique disposerait-il les chiffres pour former une combinaison ? Pour un instant, Max Fouineur se transforme en un gourou diabolique et essaie d'imaginer la séquence de neuf chiffres. Il cherche une façon qui donnerait un sens aux chiffres. Au bout d'une heure, il arrête. Rien ne s'illumine dans sa tête. Pour se changer les idées, il calcule les colonnes de trois chiffres des différentes combinaisons qu'il a inventées. Cela le détend de faire de simples calculs sans trop se creuser les méninges. Tout à coup, il réalise que la somme des trois colonnes de la trente-deuxième combinaison donne le même résultat : quinze. Il écarquille les yeux et s'avance vers la feuille, le regard rempli d'espoir. Et si c'était cela ? Il calcule la somme des lignes de cette combinaison. Son cœur palpite, ses paumes deviennent humides et ses genoux tremblent : c'est le même résultat !

En toute hâte, il saisit la boîte métallique et entreprend les douze possibilités de combinaisons. Après deux vaines tentatives, un éclair passe dans son cerveau : et si le deuxième message me donnait un indice ? Max Fouineur fouille dans son porte-monnaie pour en sortir le deuxième message :

Avant jeudi midi, le 14,
À la salle des machines, tu te rendras.
Le nombre 149162536496481
Une fois décodé, tu comprendras.
Ainsi, au Royaume de Gecbidfah tu accéderas.

Quel est ce Royaume de Gecbidfah ? Il en ignore totalement le sens. Il a beau avoir fait quelques recherches sur l'histoire du Canada, il n'a jamais vu un nom aussi bizarre. Toutefois, il sait qu'un lien unit ce nom et la combinaison du cadenas. Et si c'était un autre code ? Max Fouineur réfléchit un moment

en scrutant le nom écrit sur le message. Gecbidfah…
Il replace les lettres dans un ordre différent, mais les
résultats ne sont guère concluants : Gcebdifha ? Pas
mieux. Fabdechig ? Non plus… Chabegdif… Rien
à faire, il ne voit aucun lien.

Au bout de quelques minutes, une observation
frappe notre héros. Et si c'était aussi simple que
cela ? Pourquoi pas ? ABCDEFGHI ! A = 1, B = 2,
etc. Il saisit le cadenas et en suivant cette logique, il
formule la combinaison :

7 5 3

2 9 4

6 1 8

Il entend un déclic et le cadenas s'ouvre aisément.
C'est l'euphorie ! Toutefois, après quelques secondes, Max éprouve un étrange mélange de joie et de
peur. Il est fier et heureux de son intelligence, mais
il craint que cela lui révèle un secret dangereux pour
sa vie. Il ne veut pas que ses parents soient en danger à cause de sa grande curiosité, mais comprend
parfaitement qu'il s'expose à cela. Il ouvre le boîtier
tout doucement, craignant qu'un serpent venimeux
jaillisse pour le mordre mortellement au cou ou encore qu'une bombe nucléaire lui explose en pleine
figure ! Tout est possible avec une imagination aussi
fertile que la sienne ! Une fois la boîte ouverte, Max
écarquille les yeux…

CHAPITRE 25

*L*ucille revient à l'école essoufflée et rouge de colère. Elle n'a pas trouvé l'ennemi et le dernier colis doit être trouvé jeudi matin au plus tard, comme l'avait écrit le Maître sur la lettre envoyée à Julie. Cette fameuse lettre dont le bout déchiré s'est retrouvé dans les mains de notre héros, le jour de la retenue. Pour les membres du Club des Sept, ce fait était insignifiant, mais dans les mains de Max Fouineur, cela devenait une pièce à conviction prouvant l'existence d'une organisation secrète à l'intérieur de l'école Notre-Dame-des-Trous-de-Beignes.

— Il est introuvable, le petit maudit. Je suis allé chez lui, mais il n'y avait personne, à moins qu'il n'ait pas voulu répondre. Je ne pouvais pas me permettre d'entrer par effraction, car un voisin était dehors et me regardait. Je lui ai demandé s'il avait vu Maxime ce matin, mais il m'a balbutié quelque chose d'inaudible. J'ai cru comprendre qu'il se fichait des autres et que la vie de Maxime et de sa famille ne le concernait pas. Un charmant voisin, si tu vois le genre. Après, je me suis promenée un peu partout dans le village, demandant aux principaux commerçants s'ils l'avaient vu, mais sans succès. Je suis donc retournée chez lui, au cas où le voisin aurait été parti, mais cette fois, c'était sa femme qui était dehors et qui travaillait dans ses plates-bandes, alors je ne pouvais toujours pas m'introduire dans la maison. Maudits voisins. Pourquoi le Bon Dieu a-t-il inventé ça, aussi ?

Lucie n'ose pas répondre à la question de Lucille, tellement elle est ridicule. Pourtant, le problème demeure entier : Maxime Lussier demeure introuvable et il ne reste que deux jours avant l'échéance du Maître. Le temps s'écoule…

CHAPITRE 26

Le jeudi après-midi, Max Fouineur retourne à l'école, créant immédiatement un branle-bas de combat incroyable. Jamais n'avait-on vu autant de membres du personnel de l'école se sentir aussi concernés par l'absence d'un élève! À tour de rôle, chaque membre du Club des Sept va à la rencontre de Maxime, dans la cour d'école, pour s'informer de la raison de son absence. Cela intrigue également les amis de Maxime et en rend quelques-uns jaloux. Son titre de « chouchou » de l'école vient de se confirmer! Même la directrice de l'école sort dans la cour pour venir lui parler!

Max Fouineur connaît la raison de ce soudain intérêt à son endroit, mais il ne peut en parler à personne. Il voudrait bien tout dévoiler, mais en même temps, il mettrait des vies en danger. Voilà pourquoi il garde son secret. Cela le rend visiblement nerveux. Que se passera-t-il cet après-midi? Il s'en doute, mais n'ose pas s'imaginer le pire. Ils ne peuvent tout de même pas le tuer à l'école! Voilà pourquoi Maxime est là, cet après-midi. Il viendra aussi demain. L'école représente maintenant l'endroit le plus sûr pour lui. Il lui faut surtout éviter l'isolement.

Comme il s'y attendait, Maxime est demandé immédiatement chez madame la directrice, dès le début des classes. Madame Lucille sera présente, mais elle devra être plus prudente si elle veut éviter une autre commotion comme celle de l'autre jour. Max Fouineur a réfléchi à tout ça. Il se sent en position de force devant les deux femmes, mais sait aussi qu'il faut toujours se méfier de l'ennemi. Ne jamais considérer l'ennemi vaincu, telle est sa devise.

Il se dirige tranquillement vers le bureau de sa directrice. La nervosité le gagne à mesure qu'il approche de son but. Les prochaines minutes seront cruciales et le niveau de stress sera très élevé. Il est prêt. Il anticipe la discussion qui se tiendra dans quelques secondes et se doute bien de la façon dont elle se terminera. À moins que son offre soit refusée. Il n'a rien prévu au cas où cela se produirait. Toutefois, madame Lucille devrait accepter. Le contraire serait très étonnant.

CHAPITRE 27

Max Fouineur flotte sur un nuage! La rencontre de cet après-midi s'est déroulée comme prévu. De A à Z. Devant les faits, madame Lucille et madame Lucie pouvaient difficilement refuser sa proposition, car elle avantageait les deux parties, mais principalement la leur. Dans une situation semblable, il faut éviter d'être trop gourmand : cela finit souvent dans un lac, un bloc de ciment attaché aux pieds! Maxime a tellement vu de films où le personnage, se croyant en position de force par rapport à l'ennemi, se fait exécuter. Il ne commettrait certainement pas la même erreur.

L'heure du souper est la plus agréable qu'il ait passée au cours de la dernière semaine! Notre jeune héros sourit et plaisante, fidèle à son habitude, et ses parents lui en font la remarque : eux aussi avaient bien remarqué sa morosité depuis un certain temps. Il était toujours songeur, sérieux et concentré sur quelque chose d'invisible sur le mur de la cuisine, en face de lui. Sa sœur Estelle essayait de le taquiner un peu, mais Maxime n'embarquait pas dans son jeu, lui demandant bêtement de le laisser tranquille. Ce n'était pas le Maxime habituel. Par contre, ce soir, tout est revenu à la normale.

Après le souper, Maxime va à la chambre d'ordinateur. Il aime se retrouver à cet endroit après le repas pour se détendre. Il adore jouer à des parties de hockey virtuelles avec les équipes de la Ligue nationale de hockey. Son équipe de hockey préférée est évidemment l'Avalanche du Colorado et il s'invente une équipe de rêve ayant comme première ligne d'attaquants Joe Sakic, Maxime Lussier et Stéphane Lussier! Cette équipe est d'une puissance extraordinaire. Elle donne régulièrement de sévères raclées à ses adversaires! Les parties se terminent fréquemment sur un score de 32 à 1! Pour Maxime, s'entend! Bien sûr, il joue toujours au niveau le plus facile. S'il essayait un niveau supérieur, c'est lui qui mangerait une raclée! Alors, en joueur rusé, ou paresseux, il préfère jouer au plus faible niveau. Après tout, il veut se détendre, pas se fâcher!

Après deux victoires faciles contre les Black Hawks de Chicago et les Prédateurs de Nashville, Maxime regarde ses courriels. Comme d'habitude, il reçoit plusieurs messages indésirables, qu'il supprime sans même regarder. Ses parents et amis lui envoient souvent des messages remplis de belles pensées, mais cela l'importune de plus en plus : cela revient toujours au même, et s'il ne les transfère pas à douze personnes d'ici vingt-quatre heures, il vivra un grand malheur ! Même s'il n'est pas superstitieux de nature, notre jeune héros déteste se faire intimider de la sorte.

Son attention s'arrête sur un message. Il n'en connaît pas l'auteure, mais le titre pique sa curiosité : *Message extrêmement important de monsieur Daniel.* Sans tarder, il clique sur ce message, sans trop savoir ce qu'il révélera.

Bonjour Maxime,

Tu ne me connais pas, mais moi non plus, je ne te connais pas. Ça commence bizarrement, tu ne trouves pas ? J'ai un message extrêmement important à te transmettre. Je suis la conjointe de Daniel. Mon nom est Johanne Gariépy, mais cela n'a pas vraiment d'importance. Je te donne mon nom au cas où ça te serait utile.

Daniel est mort. J'ai beaucoup de difficulté à m'en remettre, mais il m'a fait promettre de t'envoyer ce message si jamais il lui arrivait quelque chose. Il m'a écrit ce message juste avant de se faire empoisonner. Je ne comprends pas trop ce que ça signifie, mais comme c'était très important pour lui de te le transmettre, je le fais. En passant, j'ai obtenu ton adresse électroni-

que par lui. Lui écrivais-tu souvent? Et pour parler de quoi? Je m'excuse, je ne devrais pas t'importuner avec cela, mais c'est plus fort que moi. Je veux comprendre pourquoi on en voulait à sa vie.

Dans son message, il m'a demandé de t'avertir qu'un grand danger te guette si tu découvres les trois indices. Il a écrit aussi que tu ne devais en aucune circonstance révéler ce que tu as trouvé à qui que ce soit, sauf à un homme qui s'appelle Bertrand Galley. C'est un ami de Daniel et il habite en Suisse. Je ne sais pas le lien qu'il a avec ce message, mais s'il a écrit son nom, c'est qu'il doit être important pour toi. Voici son adresse électronique : bfgalley@bluewin.com.

Si jamais tu sais des choses sur le meurtre de Daniel, s.v.p., écris-moi à l'adresse qui apparaît en haut de ce message. Je veux comprendre.

Bonne chance,

Johanne Gariépy

Le message glace le sang de Maxime, mais Max Fouineur doit continuer son enquête, même s'il la croyait terminée. Toutefois, il y a un os dans le fromage : il a tout révélé à Lucille et à madame Lucie en échange de la paix, ce qu'elles lui ont promis solennellement. Elles ont piégé notre héros. Il s'est fait avoir comme un débutant. Pourtant, il a vu tellement souvent dans les films qu'il ne faut jamais faire confiance aux méchants. Trop tard pour les remords. Il doit communiquer le plus rapidement possible avec ce Bertrand Galley, de qui il ignore absolument tout. Est-il un des leurs? Est-ce une ruse pour qu'il communique avec la tête dirigeante du Club des Sept et qu'il s'offre ainsi sur un plateau d'argent à son éventuel assassin? Que faire?

La conjointe de monsieur Daniel ne le connaît pas, alors pourquoi l'impliquerait-elle dans un tel piège? Sans plus tarder, il écrit un message au mystérieux Suisse. Le décalage horaire entre le Québec et la Suisse étant de six heures, Bertrand Galley recevra ce message à une heure et demie du matin. Max Fouineur ignore ce fait et espère bien inutilement que son message soit lu avant neuf heures ce soir, heure du Québec, afin de savoir quoi faire le lendemain : devra-t-il aller à l'école ou s'enfuir? Le temps presse…

Huit heures quinze : toujours pas de réponse. Maxime tue le temps en jouant à la patience à l'ordinateur. Aux trois minutes, il retourne voir ses courriels, espérant une réponse de Galley. La panique le gagne. Les cartes se mélangent et il les distingue à peine tellement son esprit est perturbé. Il court un grave danger et monsieur Daniel a été assassiné. Il connaît le sort qui l'attend maintenant qu'il a révélé l'indice principal à l'ennemi. Quelle sensation ressentira-t-il quand la lame du couteau lui tranchera

143

la gorge ou quand les trois mille balles de revolver lui perceront la peau ? Ah, ce que l'imagination peut faire…

Huit heures quarante-neuf : toujours rien. La porte de la chambre s'ouvre, faisant sursauter exagérément notre jeune héros.

— Mon Dieu, Maxime ! T'es bien nerveux ! ricane sa mère, étonnée d'une telle réaction de son fils.

— Je ne t'avais pas entendue, m'man. Désolé. J'étais très concentré sur mon jeu de patience.

— Il est l'heure de prendre ta collation, mon grand.

— C'est que… je n'ai pas vraiment envie de prendre ma collation ce soir. Je n'ai pas très faim.

— Comment ça, tu n'as pas très faim ? Que se passe-t-il ? Seigneur, ton front est en sueur ! Est-ce que ça va ?

Que peut-on répondre à une telle question ? Surtout dans une situation aussi dramatique ? Maxime sourit nerveusement à sa mère pour la rassurer, mais cela ne la convainc pas. Elle sent son fils stressé et tendu.

— Tu veux que je t'aide à terminer ton jeu de patience ?

— NON ! Euh… non, ça va aller. J'aimerais être tranquille encore un peu, si ça ne te dérange pas.

— D'accord, mon grand. Tu me le dirais s'il y avait quelque chose, hein ?

— Oui, m'man. Juré. Il n'y a rien de spécial, je veux juste réussir ce jeu de patience par moi-même, c'est tout.

— Bon. Bien, dans ces conditions, j'imagine que je dois te laisser tranquille. Mais n'oublie pas de te coucher à neuf heures au plus tard.

— Promis.

CHAPITRE 28

Le réveille-matin joue une douce musique à six heures pile. Habituellement, Maxime se lève vers sept heures, mais pas ce matin. Il est bien trop anxieux pour attendre une heure de plus à ne rien faire dans son lit. Il est réveillé depuis trois heures du matin, mais il n'a pas osé se lever pour aller voir ses messages au milieu de la nuit. Cela aurait probablement réveillé son père, qui a le sommeil très léger. Comment lui expliquer qu'il veut lire ses messages en plein milieu de la nuit sans éveiller les soupçons ? Impensable. Max Fouineur a donc regardé son réveille-matin changer les minutes de trois heures à six heures. Quel ennui !

Quand il ouvre l'ordinateur, celui-ci émet un petit « bip » indiquant la présence d'une personne réveillée dans la famille Lussier. Comme prévu, son père apparaît quelques secondes plus tard, les cheveux ébouriffés et en bobettes, dans la porte de la chambre d'ordinateur.

— Qu'est-ce que tu fais là ? Il est juste six heures.

— Je… rien de spécial. Je suis pas capable de dormir.

J'ai décidé de me lever un peu plus tôt. Je vais jouer à la patience en attendant qu'il soit sept heures.

— J'espère que ta patience ne se trouve pas sur le site « Belles blondes sexy », blague le paternel.

— Tel père, tel fils ! répond Maxime, amusé.

— Tu dis n'importe quoi ! Fais pas trop de bruit, par exemple, OK ?

— OK. À tantôt !

— À tantôt.

Une fois son père parti, Max se dépêche de trouver son site et de prendre ses messages. Comme il l'espérait, un message de Bertrand Galley est inscrit dans sa boîte de réception. Il l'ouvre avec impatience.

Bonjour Maxime,

Je prends le premier avion pour Montréal dès que possible. Donne-moi ton adresse et ton numéro de téléphone, s.v.p. Si ce que tu m'as écrit est vrai, tu détiens un secret que le monde entier ignore probablement, sauf peut-être quelques rares individus comme moi. Je ne peux pas te dire de quoi il s'agit maintenant. Va à l'école aujourd'hui et agis comme si de rien n'était. Comme ça, tu n'éveilleras pas les soupçons de l'Ennemi. Prends garde à toi. Ne reste jamais seul. J'arrive dès que je peux.

Bertrand Galley

Contrairement à ses habitudes, Maxime n'est pas allé dîner à pied chez lui, ce vendredi midi. Il s'est apporté un lunch, à la grande surprise de ses amis. Maxime déteste manger des sandwiches, mais pour éviter de mourir, il lui fallait bien se résoudre à en manger! Moins pénible comme souffrance! Ainsi, il suit les consignes de son mystérieux messager suisse. Toute la journée, notre jeune héros s'est senti nerveux, angoissé, traqué, mais il a bien caché ses émotions. Madame Lucie l'a salué gentiment, un sourire étincelant accroché aux lèvres. Il n'osa pas le lui retourner, se contentant de regarder le sol comme s'il ne l'avait pas remarquée.

Il n'a pas vu madame Lucille de la journée, à sa grande joie. Possédant toutes les informations nécessaires sur les trois indices, elle n'a plus rien à faire à l'école. Toutefois, Max se demande s'il a bien fait de garder la clé de la boîte métallique. Il leur a remis la pyramide de cristal bleuté et le message s'y rattachant, mais il a jugé bon de conserver la grosse clé en fonte chez lui. Il l'a remplacée par une autre clé de style médiéval qu'il avait volée dans la chambre de sa sœur. Il espérait qu'ainsi les deux femmes ne découvrent pas le subterfuge. Il nota également le dernier message dans son petit calepin bleu, au cas. Maxime était bien déterminé à cesser l'enquête sur ces trois colis mystères, mais pas Max Fouineur. Sa curiosité était trop grande pour tout laisser tomber de la sorte, si près du but.

Après le souper, Maxime joue à son jeu favori au Nintendo : Mario Party 7. Il adore les épreuves de ce jeu : elles le forcent à faire travailler sa logique. Malgré les embûches, il relève presque toujours ses défis. Son père le rejoint et joue un peu avec lui, malgré un manque flagrant de talent pour ce genre de chose. Maxime adore que son père s'intéresse à ses jeux, même s'il est l'un des pires joueurs de Nintendo au monde ! Il gagne très rarement une épreuve et saute toujours une seconde en retard quand Maxime lui demande de le faire ! Il rigole comme un fou à voir son père si peu habile à un jeu pourtant très simple. Parfois, il se demande si son paternel agit volontairement pour être si poche !

— Estelle ! Dépêche-toi ! On part dans dix minutes ! s'écrie Stéphane à la porte close tout près d'eux.

— Où va Estelle ce soir ? questionne Maxime.

150

— Elle a une fête chez des amies pis elle reste à coucher là-bas. Pourquoi ?

— Pour rien… Pour savoir.

— Maman et moi, on sort aussi ce soir. Maman a gagné des billets pour assister à un spectacle à la Place des Arts cet après-midi. Il faut partir assez tôt pour ne pas arriver en retard. Le spectacle est à huit heures. On a une bonne heure de route devant nous pour nous rendre sur place.

— Où c'est, la Place des Arts ?

— À Montréal. Comme le spectacle risque de se terminer tard pis qu'on est pas mal fatigués ces temps-ci, on a réservé une chambre d'hôtel là-bas pour y passer la nuit.

— Quoi ? Vous allez coucher à Montréal !

— Bien quoi ? Tu préfères que je risque de m'endormir au volant pis qu'on ait un accident ?

— Euh… bien sûr que non.

— Nous reviendrons au plus tard demain après-midi.

Maxime se met à pleurer, à la grande surprise de son père. Il aimerait lui expliquer que ce soir, il ne doit pas rester seul, mais comment justifier cette demande ? Il passe souvent les vendredis soirs seul, ou avec sa sœur, lorsque ses parents jouent au volley-ball, alors cette fois-ci n'est pas différente.

— J'aurais aimé ça passer une soirée en famille, ce soir, se lamente Maxime.

— On le fera demain soir, promis, mon grand. Appelle donc des amis ce soir, si t'as pas envie de rester seul. Tu peux même inviter quelqu'un à coucher, si tu veux.

Maxime appelle son meilleur ami Guillaume, mais ce dernier est déjà parti pour la soirée. Il essaie chez Sébastien, Jonathan, Hubert, Frédéric et Yan : sans succès. Il reste Carl, mais comme ce dernier aime tout diriger, Maxime hésite longuement avant de l'appeler. Comme il ne doit pas se retrouver seul ce soir, il marche sur son orgueil et l'appelle. Après une brève discussion, Carl refuse l'offre.

Max Fouineur n'a pas le choix : il sera seul ce vendredi soir. Cela le stresse grandement, mais comme tous les super héros, il devra se sortir seul de ce guêpier. Cette idée lui déplaît, car au plus profond de lui, il est terrorisé. Sa vie est en danger s'il reste seul et ce sera malheureusement le cas. Comment se fait-il aussi que sa sœur soit invitée chez une amie à la dernière minute, comme ça ? Comment expliquer que sa mère gagne un spectacle à Montréal à la dernière minute, ce soir ? Y a-t-il une corrélation entre ces faits et l'absence de madame Lucille aujourd'hui, à l'école ? A-t-elle planifié tout cela par des moyens malhonnêtes ? A-t-elle payé grassement l'amie de sa sœur pour qu'elle l'invite à coucher chez elle? Qui ne le ferait pas pour mille dollars? Pour les billets de spectacle, s'est-elle présentée au lieu de travail de sa mère sous une fausse identité d'animatrice de radio pour lui décerner un prix tiré au hasard? Tant de questions fourmillent dans sa tête…

Au moment de leur départ, la mère de Maxime remarque la tristesse de son fils. Elle le serre bien fort et lui promet une belle surprise à son retour. Maxime ose presque lui dire que la surprise sera bien inutile, puisqu'il ne sera probablement plus de ce monde quand elle reviendra, mais sa mère considérerait cela comme du chantage émotif.

— Couche-toi plus tôt… comme ça, la soirée te paraîtra peut-être un peu moins longue, conseille sa mère.

— Ne bois pas toute ma bière ce soir, OK? blague son père. Pour une rare fois, Maxime ne la trouve pas drôle du tout. Comme si c'était le temps de blaguer…

— Je vous aime, je vous aime très fort, sanglote Maxime, dans une ultime tentative de les convaincre de rester.

— Nous aussi, nous t'aimons très fort, Maxime. Tu vas voir, tout va bien aller. À demain!

— C'est ça… à demain…

CHAPITRE 30

*L*ucille fulmine. Elle souhaite en finir très rapidement avec toute cette histoire. Le temps presse, mais elle dispose de quelques jours encore pour accomplir sa tâche. Le plus tôt sera le mieux. La robuste femme prendra tous les moyens nécessaires pour retourner la bonne clé au Maître.

Comme prévu, elle avait déposé les trois colis dans une boîte postale de la région des Cantons-de-l'Est afin de permettre au Maître de les récupérer. À sa grande stupéfaction, elle apprit trois heures plus tard que la clé contenue à l'intérieur de la boîte métallique avait été remplacée par une clé bidon. Elle connaît évidemment l'auteur de ce méfait, mais elle dispose maintenant de très peu de temps pour la récupérer.

Le message du Maître est on ne peut plus clair : si elle ne retrouve pas cette clé d'ici samedi matin, huit heures, un des membres du Club des Sept sera sacrifié. L'erreur de Lucille fut qu'après avoir déposé les colis, elle s'est sentie libérée de sa mission et a éprouvé le besoin de relaxer. Elle est donc allée marcher pendant quelques heures sur le mont Orford, histoire de s'oxygéner les poumons. Elle aime souvent se retrouver à cet endroit : cela la revigore et lui permet d'oublier toutes les atrocités qu'elle doit accomplir pour son organisation clandestine.

Mais en ce moment, elle regrette amèrement cette petite escapade. Heureusement qu'elle s'est arrêtée chez elle pour lire ses courriels, sinon elle aurait manqué le fameux message du Maître et une innocente victime aurait été sacrifiée. Son plan est fin prêt et elle le mettra en branle d'ici quelques minutes. L'adrénaline coule à flots dans ses veines et sa bruyante respiration démontre bien sa nervosité : rarement, elle a tué pour parvenir à ses fins, mais cette fois-ci, elle doit éliminer tous les obstacles qui l'empêcheront de récupérer son dû.

Positionnée à une centaine de mètres de la demeure de Maxime, Lucille guette le départ des parents et d'Estelle. Elle n'est pas du tout étonnée de les voir quitter le domicile familial. Tout avait été planifié ainsi. Elle s'était présentée comme travailleuse sociale de la DPJ pour convaincre les parents de Virginie, l'amie d'Estelle, d'inviter cette dernière à dormir chez eux. Elle prétexta une situation familiale très difficile chez la famille Lussier pour justifier sa requête. Plusieurs signalements de violence envers les enfants ayant été rapportés, il fallait les sortir rapidement de ce milieu malsain. Évidemment, Estelle n'en avait jamais parlé à Virginie, trop effrayée de subir les représailles de son père violent.

De plus, durant l'avant-midi, Lucille contacta la mère de Maxime pour lui annoncer l'heureuse nouvelle : à la suite d'un tirage, elle avait gagné une paire de billets pour assister au spectacle d'Isabelle Boulay à la Place des Arts, le soir même! Une personne de la station de radio remettrait les billets à la réceptionniste de la caisse populaire où elle travaille avant l'heure du dîner. Un plan parfait.

L'automobile des Lussier s'éloigne tranquillement de la maison. La malveillante femme attend maintenant que la noirceur arrive afin d'éviter que les voisins ne puissent la remarquer. Il est six heures quinze. Encore deux petites heures et elle pourra enfin reprendre le butin qu'un élève de sixième année lui a subtilisé. Pendant quelques secondes, elle se surprend à prendre Maxime Lussier en pitié : le pauvre s'est embarqué bien involontairement dans cette galère en découvrant le premier colis, mais il est maintenant trop tard pour lui.

CHAPITRE 31

*C*ontrairement à son habitude, Maxime suit le conseil de sa mère et se couche vers huit heures au lieu de dix. Il espère ainsi écourter ce temps interminable et s'évader dans le monde des rêves, là où tout est possible et sans danger. Toutefois, son cerveau ne l'entend pas ainsi! Maxime a beau se concentrer sur la musique relaxante de son CD, le sommeil ne vient pas.

Tout est noir dans la chambre. Habituellement l'obscurité l'aide à dormir, mais cette fois-ci, il fait trop noir à son goût. Un léger filet de lumière se faufile entre la fenêtre et la toile, mais il est nettement insuffisant. Après quelques minutes, ses yeux s'adaptent et il parvient à distinguer certains des bibelots étalés sur son bureau. Habituellement, il détecte facilement son joueur de hockey en Donald Duck, vêtu de son chandail des Ducks d'Anaheim, souvenir de son voyage à Disney World quand il avait neuf ans. Mais là, il n'y parvient pas. Terrifié, il se lève et allume sa lampe de verre dont les bulles de plastique multicolores descendent inlassablement en spirale et remontent par un tuyau central transparent. D'habitude, il déteste cette lampe, car son bruit agaçant l'empêche de dormir. Elle est pourtant la seule présence disponible dans la maison ce soir, à part son chien Timi. Ce dernier, aussi protecteur qu'un poisson rouge dans un aquarium, dort probablement sur le divan du salon et bougera seulement lorsque ses maîtres seront de retour! On repassera pour le chien de garde!

Vers huit heures vingt, Maxime entend un grattement contre le mur extérieur de la maison. Comme si une personne était en train de scier quelque chose. Cela dure une bonne minute. Puis, plus rien. Maxime tremble. Ce bruit est-il réel ou imaginaire? Il se concentre pour parvenir à détecter toute autre forme de bruit dans la maison. Soudain, il entend son chien sauter du divan. Ses ongles trop longs cliquettent sur le plancher de bois franc du salon, tel un danseur à claquettes. Cela est inaccoutumé, Max Fouineur le sait bien : Timi se lève uniquement pour aller à la rencontre d'un nouvel arrivant dans la maison, sans jamais japper toutefois. Après quelques instants, plus aucun bruit. Aucun cliquetis sur le plancher. Inquiétant.

Max Fouineur doit-il aller vérifier ce qui se passe

à l'étage supérieur? Maxime Lussier l'en empêche formellement! Il a bien trop peur pour permettre à son personnage une telle témérité! Il ferme les yeux plus fort pour essayer de s'endormir en un temps record : rien à faire. Il est bel et bien réveillé et tremble plus que jamais. Huit heures vingt-cinq… le temps semble s'être endormi tellement il s'écoule lentement. Max Fouineur tend l'oreille encore plus attentivement. Pas de doute, quelqu'un est dans la maison. Il entend des pas feutrés au-dessus de sa chambre, puis dans le salon. Uniquement par le son, il constate que ces pas ne lui sont pas familiers. Il peut facilement distinguer les pas de son père, ceux de sa mère et ceux d'Estelle, mais ceux qu'il entend en ce moment ne correspondent à aucun de ceux-là. L'angoisse s'installe en lui. Elle est palpable.

Assurément, Lucille s'est infiltrée dans la maison et vient l'éliminer, comme dans les films. Par contre, cette fois-ci, l'histoire se passe en direct et Max Fouineur en constitue le personnage principal, au grand désarroi de Maxime Lussier. Il trouvait pourtant ça « super cool », le rôle de détective. Mais là, ce n'est plus drôle du tout. Sa vie est plus que jamais en danger et son agresseur se trouve juste au-dessus de sa tête, cherchant où se trouve sa chambre. Que faire?

Max Fouineur sait que Lucille descendra sous peu dans le sous-sol et le trouvera dans sa chambre.

Il doit réagir. Heureusement pour lui, sa garde-robe est immense et se termine sous l'escalier menant au rez-de-chaussée. De plus, les marches et le plancher du sous-sol forment un espace en forme de triangle rectangle. S'il se cache à cet endroit, Max Fouineur pourra se sauver et monter silencieusement, pendant que Lucille fouillera sa chambre : c'est sa seule porte de sortie.

Il s'installe dans sa cachette et attend. Au bout de quelques instants, Lucille descend les escaliers. Maxime frémit et grelotte de froid. Il a incroyablement peur. La méchante femme promène une lampe de poche de long en large devant elle pour éclairer le sombre sous-sol. De son repaire, Maxime distingue une forme spéciale dans sa main droite : elle tient un revolver ! Notre jeune héros implore le ciel pour survivre à cette épreuve. Il jure de remettre tout l'argent volé en cachette à son père s'il s'en sort indemne !

Il y a huit portes au sous-sol : deux pour les chambres de Maxime et d'Estelle, une pour la salle de bain en face de la chambre de Maxime, une pour la salle de jeux, deux juxtaposées pour de petits placards entre la salle de bain et la salle de jeu, une pour la salle mécanique et la dernière, plus évidente, pour la sortie extérieure. Évidemment, Lucille ignore ces informations. Chaque porte représente un mystère pour elle, alors elle devra les ouvrir très prudemment. La porte de la salle de bain étant entrouverte, elle commence par celle-ci. Ses mouvements sont fluides et silencieux, Max Fouineur le constate : elle possède le même style que les personnages de tueurs dans les films de suspense. Quelques secondes plus tard, elle sort de la salle de bain et se dirige à sa droite, vers la salle mécanique. Encore une fois, Max peut aisément l'observer, mais il ne peut s'enfuir, sinon elle l'entendra.

Le plan du réfugié est fort simple : il se sauvera lorsque Lucille inspectera la chambre d'Estelle. Cette pièce est la plus éloignée de l'escalier, et comme les murs sont insonorisés, elle entendra plus difficilement le bruit. Après une brève disparition, Lucille sort de la salle mécanique. Max panique en apercevant clairement son arme. À ce moment, il ressent le début d'une crise d'asthme. Ah non ! Pas maintenant ! Il se contient du mieux qu'il le peut pour ne pas tousser, mais ses poumons se rétrécissent et sa respiration devient de plus en plus difficile. Pas moyen d'aller chercher ses pompes dans la salle de bain, la robuste femme est bien trop près. Le jeune désespéré fait d'immenses efforts pour contrôler sa respiration, mais la terrible maladie fait son œuvre. Il s'assoit, position spontanément adoptée pour soulager la dyspnée que sa position allongée favorisait, pâlit de plus en plus, ses lèvres deviennent légèrement bleutées et il transpire abondamment. Malencontreusement, il ne peut s'empêcher d'émettre bien malgré lui un sifflement qu'entend très bien Lucille. Immédiatement, le faisceau lumineux se dirige vers le dessous de l'escalier.

— Sors de là, Maxime. Je sais que tu es là.

La crise d'asthme prend tellement d'ampleur que Maxime n'est plus capable de répondre. Si Lucille ne le tue pas avant, il mourra de toute façon, il en est fort conscient.

— Mes pompes…, râle Maxime, implorant Lucille de ses yeux hagards et larmoyants, en sortant de sa tanière.

Lucille le suit de son arme et le regarde tituber vers ses médicaments dans la salle de bain. Maxime empoigne péniblement ses pompes sur la vanité et s'injecte une dose de salbutamol, puis une deuxième immédiatement après, comme son médecin le lui avait prescrit en cas de crise aiguë. Quelques minutes plus tard, notre héros respire plus silencieusement. En principe, son teint devrait redevenir plus rosé, mais il demeure pâle : la peur s'est maintenant substituée à la crise d'asthme. La redoutable tortionnaire le tient toujours en joue. Comme elle se tient devant la porte de la salle de bain, il n'y a aucun moyen de s'enfuir. Elle allume les deux lumières de la pièce, contrôlant ainsi parfaitement la situation. Maxime est assis sur le couvercle de la toilette, reprenant son souffle tant bien que mal. La partie est loin d'être terminée pour lui et il le sait très bien.

— Ç'est plutôt paradoxal, tu ne trouves pas? Je te permets de te sauver la vie avec tes pompes, mais je vais te tuer dans la minute. C'est drôle, non? ironise Lucille, sourire en coin.

— Pourquoi me tuer? Je vous ai tout donné, hier. Vous avez tout ce que vous voulez. Qu'est-ce qu'il vous faut de plus?

— Tu veux dire, qu'est-ce qu'il nous faut de moins, Maxime. Il nous faut un témoin gênant de moins. Et par malheur, tu es ce témoin gênant.

— Je vous promets que je ne dirai rien. Juré! Laissez-moi vivre, madame Lucille. Vous n'aurez aucun problème avec moi. Jamais je ne dirai rien.

— Je suis désolée, Maxime. J'ai reçu l'ordre de te tuer et si je ne le fais pas, c'est moi qui me ferai tuer. C'est bête, mais c'est comme ça. Je n'y peux rien et toi non plus.

— C'est pas juste! J'ai juste trouvé des boîtes, moi! Je savais pas que c'était si important que ça pour vous…

— Ne joue pas à ce jeu avec moi. Tu ne gagneras pas. Tu en sais beaucoup plus que ça et tu le sais très bien. Tu as démasqué notre organisation, mon jeune ami. Personne n'est au courant, à part toi. En plus, avec ce que nous allons découvrir bientôt, nous serons en bonne position pour demander beaucoup d'argent au Vatican. Mais pour ça, nous devons avoir l'autre clé.

— Quelle autre clé?

— Je t'ai dit de ne pas jouer au plus fin avec moi! martèle Lucille.

Un coup de feu éclate, passant à quelques centimètres de la tête de Max Fouineur. Ce dernier sursaute et tremble comme une feuille au grand vent. Il ne doit pas jouer à ce genre de jeu.

— OK, OK… Je sais de quoi vous parlez. Je… je vais vous la donner, mais à la condition que vous me laissiez la vie sauve.

— Je ne peux pas faire ça, Maxime. Tu dois mourir. Mais je peux faire un compromis : si tu me donnes la clé immédiatement, je te promets de te tuer rapidement pour que tu ne souffres pas longtemps. Si tu refuses, tu vas mourir quand même, mais je peux t'assurer que tu vas m'implorer de t'achever tellement tu vas souffrir.

Max Fouineur n'a pas tellement le choix. Cependant, il préfère ne pas souffrir très longtemps. C'est la meilleure solution, à son avis. Quel cruel dilemme! Choisir entre une mort rapide ou une mort lente et abominable. Jamais il ne pensait avoir à choisir entre ces deux options. Lui qui adore la vie, voilà maintenant qu'il doit choisir sa propre mort.

Résigné, Max Fouineur se lève et demande à Lucille de lui libérer le passage pour aller à sa chambre. Elle le suit à deux mètres de distance, épiant tous ses faits et gestes. Ils se retrouvent tous les deux dans la chambre de notre héros. La robuste femme se tient toujours devant la porte, empêchant ainsi sa victime de s'enfuir. Maxime ouvre le troisième tiroir à gauche de son bureau et en sort une grosse clé noircie, attachée à une ficelle bleue.

— Donne-la-moi.

CHAPITRE 32

Max Fouineur obéit à l'ordre de Lucille. La fin approche. Combien de temps lui reste-t-il à vivre? Dix secondes? Trente secondes? Au mieux, deux minutes? Jamais il n'aurait pensé en arriver là. Mourir. À un si jeune âge. L'espace d'un instant, une boule se forme dans sa gorge. Il éprouve beaucoup de peine à quitter une vie qu'il aimait tellement, qu'il trouvait si précieuse. Malheureusement, le destin a décidé qu'elle se terminait abruptement, ce vendredi soir. Il revoit dans sa tête toutes les belles choses qu'il a vécues depuis sa naissance : la photo sur laquelle on le voit avec son premier gâteau de fête, alors que, selon les dires de ses parents, il s'était beurré tout le visage et les oreilles avec le crémage au chocolat, son Lapinou, fidèle complice et confident des dernières années, son voyage à Disney World, ses premiers coups de patins, son premier but, les sorties en famille, les fous rires épouvantables avec sa mère, son père, sa sœur, son meilleur ami Guillaume, son chien Timi. Tout cela va bientôt se terminer. C'en est trop pour le jeune homme sensible. Il éclate en sanglots.

— Je vais tenir ma promesse, Maxime. Tu ne souffriras pas longtemps.

Maxime ferme les yeux et sa dernière pensée va à ses parents. Le coup de feu éclate. Il sursaute. Curieusement, il ne ressent aucune douleur. Il ne souffre même pas, à son grand étonnement. Lui qui croyait que mourir représentait une expérience atroce, il n'en est rien. Il ne se serait jamais autant inquiété sur le sujet s'il avait su!

Il entend un corps tomber, mais ce n'est pas le sien! Lentement, il ouvre les yeux et voit Lucille gisant sur le plancher, l'arme à quelques pas d'elle, le corps ensanglanté. Elle est morte! Max Fouineur ne sait trop comment réagir : il est soulagé d'être toujours vivant, mais en même temps, si Lucille a été tuée, il y a assurément une autre personne armée dans la maison, puisque lui-même ne possède pas d'arme. Son raisonnement trouve réponse deux secondes plus tard. À sa grande stupéfaction, monsieur Sylvain se pointe dans sa chambre, son fusil de chasse encore fumant dans les mains.

— Monsieur Sylvain? Que faites-vous ici? Comment avez-vous su?

— C'est terminé, Maxime, je suis là maintenant. Tu n'as plus rien à craindre. Depuis que Lucille a remplacé Yvan, je me suis toujours méfié d'elle. Je la trouvais suspecte, alors j'ai décidé de l'espionner à distance, quand j'étais à l'école. Je me suis bien rendu compte qu'elle agissait bizarrement, plus spécialement avec toi.

— Comment avez-vous su qu'elle voulait me tuer ?

— Je te l'ai dit, je ne l'ai pas quittée des yeux depuis son arrivée. J'ai bien vu qu'elle s'était absentée aujourd'hui, alors j'ai demandé congé et j'ai décidé de la suivre partout. Je l'ai vue aller parler aux parents de l'amie de ta sœur et leur remettre de l'argent, je l'ai vue par la suite se rendre jusqu'au lieu de travail de ta mère avec une enveloppe dans les mains. Je trouvais ça louche, alors je me suis dit qu'elle devait s'organiser pour que tu sois seul ce soir et comme tu vois, j'avais vu juste. Je l'ai vue entrer par effraction chez toi avec une arme à feu, alors je devais agir rapidement. Je ne pensais jamais avoir à utiliser mon fusil de chasse pour tuer autre chose que des perdrix, mais je crois que j'ai pris la bonne décision en l'apportant avec moi, pas vrai ?

Maxime respire un peu mieux, même si ce n'est pas encore parfait. Au moins, il est toujours vivant et le danger est maintenant écarté. La méchante femme est morte et monsieur Sylvain, même s'il n'était pas son professeur préféré, devient instantanément son héros !

— Je m'excuse, monsieur Sylvain, pour toutes les fois où je me suis mal comporté durant vos cours. Ce n'était pas vous que je n'aimais pas, c'était juste que le cours de musique… Vous comprenez ?

— C'est bien le temps de t'excuser, pas vrai ? Vas-tu recommencer à niaiser pendant mes cours, dorénavant ? demande le professeur de musique d'un ton amusé.

— Plus jamais, monsieur Sylvain, je vous le promets !

Ils rigolent un peu tous les deux, soulagés que tout soit terminé. Le jeune homme explique à son sauveur pourquoi Lucille et le Club des Sept le pourchassaient depuis sa découverte des colis suspects. Le bedonnant professeur ne comprend pas très bien ses explications, mais cela importe peu.

— Comme ça, avec cette clé, Lucille prétendait pouvoir faire chanter le Vatican. Mais de quelle façon ? Qu'est-ce que cette clé peut bien dévoiler ? En as-tu une petite idée au moins ?

— Pas vraiment, monsieur Sylvain. Tout ce que je sais, c'est que madame Lucille tenait beaucoup à cette clé.

— Si tu ne sais pas à quoi elle sert, tu peux me la donner.

— Pardon ?

— Donne-moi la clé, si tu n'en as pas besoin.

— C'est que… je croyais appeler la police pour leur donner.

— Bah… je vais m'occuper de ça, Maxime. Tu as vécu assez d'émotions comme ça, tu ne trouves pas?

— Vous avez raison. Tenez.

— Merci bien. Maintenant, cette clé est entre bonnes mains. Que vas-tu faire maintenant?

— Je ne sais pas trop… il faudrait appeler la police pour leur dire qu'il y a une personne morte dans la maison.

— Bonne idée. Je vais le faire, ça fera plus crédible. Les policiers se méfient toujours des mauvaises blagues de jeunes.

Le spécialiste de musique s'empare du téléphone et signale le 9-1-1. Par inattention, le canon de son fusil se dirige vers Max Fouineur.

— Oui, c'est pour signaler trois coups de feu dans une maison et deux victimes au 496, rue Groleau, à Notre-Dame-des-Trous-de-Beignes, explique le bedonnant professeur, avant de raccrocher.

— Comment ça, trois coups de feu et deux victimes? Il n'y a eu que deux coups de feu et une seule victime, il me semble, corrige Maxime.

— Non, Maxime, il y a eu trois coups de feu. Le troisième n'est pas encore arrivé, mais ça ne devrait pas tarder. C'est toi, la deuxième victime.

— C… Comment ça, la deuxième victime ? De quoi vous parlez là, monsieur Sylvain ? Je comprends pas…

— Voyons, Maxime, tu es un garçon bien plus intelligent que ça, il me semble.

— Pourquoi je serais la deuxième victime ? Pourquoi me tuer ?

— Parce que tu es un témoin gênant, mon cher.

— Comment ça, un témoin gênant ? Madame Lucille m'a dit la même chose, tantôt. Je comprends vraiment pas, là.

— Lucille avait raison. Tu es devenu un témoin gênant, malheureusement pour toi. Lucille aussi était devenue trop gênante, c'est pour ça que je l'ai tuée.

— Quoi ? Vous voulez dire que…

— Eh oui, Maxime, c'est moi qui ai tout planifié. Je ne fais plus confiance à Lucille depuis qu'elle s'est montrée incapable de se débarrasser d'un petit minable comme toi. Retiens cette leçon pour les dernières secondes de ta vie, mon cher Maxime : on n'est jamais mieux servi que par soi-même. J'ai envoyé Lucille pour qu'elle trouve la clé, mais j'avais peur qu'elle s'en serve pour me faire du chantage, je l'ai donc éliminée. Je possède maintenant la clé qui me permettra de découvrir un terrible secret. Ça va bouleverser les fondations du monde entier. Le monde entier, Maxime. Si le Vatican souhaite conserver son empire, il devra me donner beaucoup d'argent. Tellement d'argent, en fait, que même le pape n'aura plus assez d'argent pour s'habiller! Tu vois l'image, Maxime? Un pape qui fait la messe en bobettes!

Le malfaiteur éclate de rire. Max Fouineur, lui, ne rit pas. Il se trouve en face d'un monstre, d'un dangereux criminel qui n'hésitera pas à tuer pour une vulgaire question d'argent. Quel personnage vil et dégoûtant.

— Qu'est-ce qui va ébranler à ce point le Vatican? ose le jeune téméraire. Je peux pas croire que ce que vous trouverez vous permettra de faire un tel chantage. De quoi parlez-vous, au juste?

— Je ne devrais pas faire ça, mais comme les morts ne parlent pas, je peux me permettre de te le dire.

Braquant toujours son arme vers sa victime, le professeur fouille dans le col de son chandail kaki et en ressort une autre clé identique. Il les cogne ensemble et une étincelle verdâtre illumine temporairement la pièce. Le flash étonne Max Fouineur: est-il en présence d'un magicien ou d'un sorcier? Comme monsieur Sylvain s'apprête à lui révéler le mystérieux secret, Max Fouineur entend éclater la vitre de sa chambre et une troisième détonation… qui atteint son ennemi. La balle transperce le cœur du spécialiste de musique et atterrit tout près du lit de notre jeune héros incrédule, tout près de l'affiche de Harry Potter. Monsieur Sylvain dévisage Maxime des yeux, le questionnant du regard sur la façon dont il a pu lui tirer dessus sans arme. Lourdement, il s'effondre près du corps de Lucille et tente tant bien que mal de disposer son corps et celui de sa compagne de façon à former un triangle avec leurs jambes et leurs bras.

— Tu ne sauras pas quoi faire avec ce terrible secret, Maxime… T'es encore plus en danger que tu le penses, maintenant…

Malgré la douleur, l'homme agonisant sourit à Max Fouineur, avant de fermer les yeux à tout jamais. D'un geste vif, Max s'empare des deux clés et les place dans ses poches au cas où un autre malfaiteur voudrait les récupérer. Deux policiers font irruption dans la chambre et s'assurent que le jeune homme est hors de danger. Ils lui demandent si d'autres personnes se trouvent dans la maison, mais comme tout le monde semble pouvoir s'y introduire facilement, Maxime n'ose pas répondre. Un des deux policiers scrute la maison de fond en comble pour s'en assurer et cette fois, c'est bien le cas. Enfin! Soudain, un inconnu apparaît sur le seuil de la chambre, effrayant à nouveau notre héros.

— Ne crains plus rien, Maxime, le rassure l'homme avec un fort accent français. Je suis Bertrand Galley.

CHAPITRE 33

Maxime voudrait bien relaxer un peu, mais les quinze dernières minutes l'ont rendu très méfiant. Et si ce Bertrand Galley était le grand patron de monsieur Sylvain? Et si ces policiers étaient des truands déguisés pour gagner la confiance de Max Fouineur? Et si tout ça n'était qu'une vulgaire machination? Autant de questions sans réponses... Avec une imagination comme la sienne, tout est tellement possible!

Cette fois-ci, par contre, il n'y a pas de machination. Ce sont de vrais policiers et ce Bertrand Galley est bel et bien le vrai Bertrand Galley! Notre jeune héros suit les policiers au poste de police pour y faire une déposition. Une escouade de Montréal retrouve ses parents pour les informer des événements et surtout, pour les assurer que leur fils est sain et sauf. Ils se sentent soulagés, mais aussi très coupables de l'avoir laissé seul comme une proie dans une cage remplie de vautours. Plus jamais ils ne le laisseront seul à la maison, se promettent-ils, mais Dieu sait qu'un jour ou l'autre, surtout quand Maxime aura vingt-cinq ans, cela arrivera sûrement!

CHAPITRE 34

*D*ans la Toyota Camry de l'année louée par Bertrand Galley, sur le chemin du retour à la maison, Max Fouineur est mis au parfum de tout le secret qui entoure les deux mystérieuses clés. Il les détient toujours, ayant omis volontairement de les remettre, à la demande de Galley. Max a l'impression de nager en plein roman policier, mais cette fois-ci, c'est une histoire vraie.

Selon les calculs du scientifique, il existe une chambre secrète dans la célèbre pyramide de Chops, comme il l'appelle, au lieu de Chéops. Plusieurs hypothèses en font mention, mais il est parvenu, par de longs et fastidieux calculs, à prouver que cette chambre secrète existe vraiment. Il a même trouvé son emplacement dans la pyramide. Peu de gens connaissent cette histoire, mais elle est bien réelle. Étrangement, dans les manuels d'histoire sur l'Égypte, il n'existerait plus aucune trace du pharaon Ramsès IX et l'hypothèse selon laquelle il serait enfermé dans cette chambre secrète circule abondamment dans les milieux clandestins. La rumeur prétend également qu'il s'y trouverait un trésor gigantesque pouvant assurer à qui s'en emparerait la richesse éternelle, d'où l'intérêt de beaucoup de gens à son égard.

Quant au lien de monsieur Sylvain avec le Vatican, cela fait froncer les sourcils du scientifique. Max remarque bien l'inconfort de son compagnon de route, qui semble peu enclin à en parler. Prudemment, pesant chacun de ses mots, Galley parle d'une autre hypothèse, beaucoup moins populaire celle-là et plus réservée au monde occulte, selon laquelle le corps de Jésus aurait été momifié dans cette pyramide. Cette hypothèse prétend que lors de la résurrection de Jésus, seul son esprit serait ressuscité : son corps, lui, aurait été dérobé par des soldats romains et vendu à des Égyptiens. Ces derniers, conscients de l'importance de Jésus, auraient décidé de l'emmener en Égypte par bateau dans un cercueil rempli d'une solution saline, puis ils l'auraient momifié et placé avec le trésor de Ramsès IX dans la chambre secrète.

— Si cela s'avère exact, tu comprends la répercussion que cela aurait sur la religion catholique, Maxime ?

— Euh… je suis plutôt poche en religion, monsieur Galley, je dois avouer… Disons que ce n'est pas ma matière préférée, comme pour bien du monde.

— Eh bien, tu devras t'y intéresser davantage à partir de maintenant, car si cette hypothèse est véridique, c'est toute la fondation de l'Église qui en sera ébranlée. À partir de ce moment, le mystère de la résurrection du Christ sera résolu et le monde entier saura qu'il n'est pas vraiment le fils de Dieu, mais un être humain foncièrement croyant comme toi et moi, mais sans plus. Comme un prêtre, un diacre, un moine, une sœur… Tu comprends? Fini, le règne du Fils de Dieu… il n'y aurait plus que le règne de Jésus, comme le règne de saint François d'Assises ou de tout autre fervent humain de la foi. Tu vois où je veux en venir?

— Euh… honnêtement, non.

— La Bible, Maxime! La Bible! Tout le fondement de la foi chrétienne se trouve dans la Bible! Si Jésus n'est pas le fils de Dieu, la Bible devient un tissu de mensonges basés sur l'existence de Jésus-Christ, ressuscité d'entre les morts et fils de Dieu. Tu imagines le chaos que cela provoquerait? La religion unit les peuples, elle donne l'espoir aux pauvres et aux désespérés de cette planète, elle nourrit la vie de millions de gens, elle donne des valeurs à la majorité des êtres humains. Tu as fait ta profession de foi?

— Euh… il me semble, oui…, répond vaguement Maxime, embarrassé d'être si peu sûr de lui.

Évidemment qu'il l'a faite, en cinquième année.

Comme bien d'autres élèves qui l'ont faite sans en comprendre le sens réel et surtout, pour ne pas déplaire à leurs parents.

— Une multitude de gens basent leur vie sur cette profession de foi, Maxime. Alors si cette promesse de croire en Jésus-Christ, le fils de Dieu ressuscité d'entre les morts, n'est plus crédible, c'est la fin de la religion catholique, de l'Église, des curés, des prêtres, des frères, des sœurs, des évêques, des cardinaux et…

— Du pape ?

— Voilà !

— Crime ! C'est grave, ça…

— Je ne te le fais pas dire, mon jeune ami.

— Qu'est-ce que je dois faire de ces clés, d'abord ?

— Une chose est sûre, il faut éviter que ces clés tombent dans de mauvaises mains comme celles de ton professeur de musique, tu comprends ?

— Je comprends…

Max Fouineur est torturé mentalement. Il détient quelque chose de très important, mais aussi de très dangereux. La peur le frigorifie, mais il est également animé par sa grande curiosité, qui lui donne envie d'aller jusqu'au bout de cette histoire. Qui d'autre que Bertrand Galley connaît l'existence de la chambre secrète de la pyramide de Chops ? Qui connaît l'existence de ces deux clés magiques ? Si le

Club des Sept savait que les indices avaient été dissimulés dans l'école, quelqu'un les en avait informés. Mais qui? Et pourquoi?

Assurément, il existe une organisation clandestine parallèle qui connaissait l'importance de la seconde clé pour ouvrir la chambre secrète de la pyramide de Chéops. Elle savait également qu'un des membres du personnel de l'école Notre-Dame-des-Trous-de-Beignes en possédait une, d'où le piège des indices dans les boîtes vertes pour en trouver le propriétaire. Quelqu'un s'était servi de la deuxième clé comme appât pour attirer le gros poisson, en l'occurrence monsieur Sylvain et le Club des Sept. En fait, qui manipulait qui? Personne ne le savait vraiment. Cependant, aucune de ces deux organisations ne possède actuellement ces deux fameuses clés. Elles reposent paisiblement dans les petites poches innocentes d'un garçon de douze ans qui terminera son primaire bientôt.

Tout cela n'est pas reposant pour un esprit analytique et imaginatif comme celui de Max Fouineur. Assurément, cette histoire est loin d'être terminée. Pensif, il se demande ce qu'il fera de ces deux intrigantes clés. Exténué, Maxime Lussier s'endort sur cette réflexion pendant que l'auto roule et s'enfonce dans la nuit…

REMERCIEMENTS

Je tiens sincèrement à remercier madame Linda Roy, des Éditions JKA, qui m'a permis de réaliser ce rêve que je caressais depuis tant d'années.

Je tiens également à remercier mon bon ami de la Suisse, Bertrand Galley, qui, même s'il n'est pas un scientifique de renommée mondiale, est un être humain extrêmement agréable et ouvert sur le monde. Je remercierai son épouse Claudine plus personnellement dans le prochain tome.

Un gros merci à mon épouse Johanne, pour son soutien et son amour quand je m'isole pour écrire. Elle occupe une place très importante dans ma vie.

Merci aussi à ma belle fille Estelle, cette passionnée de lecture qui me conseille quand j'en ai besoin.

Un merci tout spécial à ma mère Cécile et à mon père Gérard, malheureusement décédé, pour m'avoir donné la vie. Ce livre est mon cadeau pour vous.

Achevé d'imprimer en janvier 2010
sur les presses de l'imprimerie Gauvin,
Gatineau, Québec

FSC

Recyclé
Contribue à l'utilisation responsable
des ressources forestières
www.fsc.org   Cert no. SGS-COC-2624
© 1996 Forest Stewardship Council

100%